Copyright © Editora Patuá, 2022.
Contos sensuais e algo mais © Martinho da Vila, 2022.

Editor
Eduardo Lacerda

Curadoria
Tom Farias

Capa, ilustração, projeto gráfico e diagramação
Leonardo MAthias | flickr.com/leonardomathias

Assistentes editoriais
Amanda Vital
Ricardo Escudeiro

Administrativo e comercial
Pricila Gunutzmann

Expedição
Sheila Gomes

Ficha Catalográfica elaborada por Janaína Ramos – CRB-8/9166

V744c

Vila, Martinho da

Contos sensuais e algo mais / Martinho da Vila; Leonardo Mathias (Ilustrador). – São Paulo: Patuá, 2022. 312 p.; 14 X 21 cm

ISBN 978-65-5864-221-3

1. Conto. 2. Literatura brasileira. I. Vila, Matinho da. II. Mathias, Leonardo (Ilustrador). III. Título.

CDD B869.93

Índice para catálogo sistemático:
1. Contos Brasileiros I. Título.   B 869.3

Editora Patuá
Rua Luís Murat, 40
CEP 05436-050 – São Paulo – SP Brasil
Tel.: (11) 96548-0190
www.editorapatua.com.br / editorapatua@gmail.com

MARTINHO DA VILA

CONTOS SENSUAIS
e algo mais

PATUÁ
EDITORA

DEDICATÓRIA

A todos os que lutam contra os preconceitos em geral e aos religiosos que respeitam as crenças dos próximos; à minha Preta, a morena Cléo, o melhor mimo que Olorum me deu; às minhas meninas, Tináia, Juju, Mira e Alê; aos varões Tonho, Tunico e Preto; ao sobrinho Fernando Rosa, meu primeiro revisor; à Lidia Costa, minha empresária, e ao Marcelo (recentemente falecido), secretário solícito; aos meus produtores, Celso Filho e Fernando Sant'Ana; às minhas queridas colaboradoras, Lizyane Carneiro e Márcia Madela; aos amigos enófilos de tintos, Tom Farias, Eloi Ferreira e Edmilson Valentim, assim como ao Geraldinho Carneiro, parceiro dos brancos.

PREFÁCIO

Livros nos contam estórias que nos fazem viajar. Pelos caminhos particulares de cada leitor, sensações vão planando em cada palavra envolvida pelo autor, que dá o tom dos sentidos ritmados nas experiências propostas. Às vezes levamos sustos, às vezes choramos, damos gargalhadas, conhecemos hábitos e culturas de lugares até então inusitados ou absolutamente desconhecidos. Jornadas de personagens descritos no seu íntimo, no seu dia a dia, e que viram nossos companheiros. Outros nos ensinam, outros despertam amor, ódio ou indiferença ou, simplesmente, viram nossos amigos de infância, para os quais desejamos um final feliz. Eu sou aquela que sente falta daquelas pessoas que dançam no meu imaginário radiante. Apego-me e me pego, inclusive, relendo livros pelo simples companheirismo que certos personagens me entregam.

Com este *Contos Sensuais & Algo Mais* não é diferente. Toca-me mais intensamente ler algo em que eu possa perceber aquelas pessoas com o meu olhar e, dentro desse emaranhado de vida não vivenciada por eles, mantê-los vivos em mim. O que mais me chamou atenção e me fez devorar essa obra foi o fato de os personagens serem tão lúcidos que me remetem à vida como ela é, não a do saudoso e maravilhoso Nelson Rodrigues, com seu veio mais teatral. Na obra do menino nascido na fazenda e ganhador do mundo em seu cotidiano, Martinho José traz as verdades lúdicas das entrelaçadas estórias de gente como a gente, sempre fiel à fácil compreensão, sem deixar o belo e robusto português de fora. Leve, mesmo nas horas de conflito, e sincero nos sentimentos tão hábeis e férteis por onde nós, seres humanos, passeamos pela vida. Livros nos enriquecem e nos ajudam a avançar, a alavancar mesmo nossa vida cotidiana porque nos levam a sonhar. Viva à cultura dos livros, seus autores e personagens! E viva às palavras, que nos fazem voar através do nosso sentido, transcendendo e emanando o conhecimento de si e alargando o hábito do olhar "o outro" por meio de toda afetividade que histórias nos trazem. Isso é repercutir vida dentro de vidas. É realização de sonhos nem sempre sonhados e o meu aprendizado com esse livro é que, nessa nossa estada, é preciso envolvimento no processo evolutivo do ser. Sem envolvimento não há base para chegar ao amor que cura.

Desejo a todos uma leitura cheia de percepções, para que seus processos pessoais atinjam a melhor nota em suas caminhadas.

Com amor,

Juju Ferreira

INTRODUÇÃO

A família é uma instituição importante, porém um tanto complicada. Entre irmãos e irmãs que, aparentemente, vivem muito bem, sempre há o ciúme: "Não sei por que a mamãe gosta mais dela" ou "o papai abraça o mano com mais vigor do que me abraça". Um grande problema acontece por ocasião do falecimento do chefe ou da viúva mantenedora. Se não foi registrado um testamento nem feita uma listagem detalhada dos bens, os herdeiros dificilmente chegam a um acordo sobre a escolha do inventariante, do advogado e da divisão das despesas com o inventário. Em consequência, os impostos e taxas relativos aos bens imóveis se acumulam e todos os que seriam beneficiados acabam perdendo.

Pior é a inveja dos menos bem-sucedidos na vida: "ele tem mais sorte do que eu, mas o papai e a mamãe sempre lhe deram mais apoio". Estes sempre esperam algo mais que favores do próximo de melhor fortuna. Pedem dinheiro emprestado, não pagam nem dão satisfações, solicitam de novo e, se não forem atendidos, ficam magoados. Daí o provérbio: "parentes são os dentes e, de vez em quando, mordem a gente". É sempre mais fácil amar os afins distantes do que se relacionar com os que estão ao nosso lado. Mas devemos dedicar amor a todos os seres. Amar ao próximo como a nós mesmos é um ensinamento bíblico que significa reconhecer em outros a mesma dignidade que há na nossa própria vida e ter pelas pessoas a mesma consideração dedicada a si próprio. Há muitos amigos e amigas que se consideram familiares. Por exemplo, os músicos Wandinho, Cajó, Machado, Black, Victor, Kiko, Marcelinho e Juliana, componentes do grupo Família Musical. É possível que alguns tenham mais afinidade com os companheiros do que com alguns parentes. A Sagrada Família dos católicos é composta por Maria, José e Jesus, mas o Nazareno formou uma outra Sacra Família, a dos doze apóstolos – Pedro, André, Tiago (Filho de Zebedeu), João, Filipe, Bartolomeu, Tomé, Mateus, Tiago (Filho de Alfeu), Tadeu, Simão e Judas –, todos irmanados e fiéis, até que Judas o traiu. Pedro não foi traidor, somente negou conhecer Jesus quando o Mestre foi preso.

O Velho Testamento da Bíblia não é recomendável. Nele, o Deus não era totalmente bom: tomava partido nas guerras, exigia sacrifícios e era um julgador implacável. Mas é importante ler o Novo Livro Sagrado, pensar, reler várias vezes e meditar sobre tudo o que está escrito. Nas seguintes leituras, descobrem-se detalhes não observados na primeira lida. O mesmo ocorre com qualquer livro. Nestes "contos sensuais", os homens são ligados entre si como as substâncias componentes do ar, e as mulheres, coesas feito os elementos químicos que formam o mar. Ao dar asas à inspiração, surgiram histórias de puro amor entre pessoas da mesma identidade de gênero. A intenção inicial era escrever um livro a respeito, de autoajuda, focado em pais e mães de filhos gays, colaborar com o relacionamento de irmãs que convivem com manas lésbicas, assim como com um rapaz de gestos másculos que convive com um irmão mais delicado. A mente viajou e, em vez do romance planejado, desabrochou este livro de contos, porém as nuances do romance estão dentre os variados temas.

Martinho José Ferreira

CAPÍTULO I

No Engenho da Rainha, como em qualquer subúrbio, as pessoas se conhecem, relacionam-se e, ao perceberem que há alguma festinha, sempre alguém comparece, mesmo sem convite. Se você quiser ir, é só aparecer por lá, será um prazer. Sinta-se convidado.

OS SUBURBANOS

Severino fez amizade com Dr. Silvério, residente em Vila Vaqueire, charmoso bairro da Zona Oeste, e proprietário de uma indústria de roupas masculinas e femininas denominada Macho e Fêmea, cujos trajes eram manufaturados, sob medida, por seus alfaiates e costureiras, com tecidos fornecidos por uma fábrica onde Severino trabalhava e fazia as entregas.

Silvério — sessenta e dois anos com quatro de viuvez — morava sozinho e, numa sexta-feira, como já havia feito outras vezes, convidou Severino para, no sábado, após o expediente, saírem para uma prosa e depois jantarem em um restaurante próximo.

— Lamentavelmente, não vou poder. Amanhã minha filha aniversaria e nós vamos comemorar.

— Que bom amigo eu tenho, hein! Faz festa e não me convida.

— Vai ser uma festinha simples e particular. Eu, a Eulália, a aniversariante Catarina e meu filho Sérvulo, o caçula. A mulher vai fazer um bolo, colocar uma vela, cantaremos o "parabéns pra você nesta data querida", eu tomarei uma cervejinha com meu filho, sendo a dele sem álcool, elas, um suco ou refrigerante... E brindaremos. Talvez se achegue um vizinho ou vizinha. No Engenho da Rainha, como em qualquer subúrbio, as pessoas se conhecem, relacionam-se e, ao perceberem que há alguma festinha, sempre alguém comparece, mesmo sem convite. Se você quiser ir, é só aparecer por lá, será um prazer. Sinta-se convidado.

— Não, muito obrigado! Vou deixar vocês na intimidade. Quantos anos sua filha faz?

— Dezenove. Graças a Deus está próxima da maioridade.

— Se o agradecimento ao Divino é porque você pensa que, com a maioridade, não é mais responsável por ela, engana-se. Pai é para sempre.

A pergunta sobre a idade de Catarina foi com a intenção de comprar uma lembrancinha compatível com o tempo etário dela e pedir para o amigo entregar à filha. Por coincidência, logo que o Severino se despediu, entrou na loja dele uma senhora que vende joias de baixo custo e ele comprou um cordão folheado a ouro e um par de brincos.

Ao ligar para o Severino para lhe entregar o presente, este já estava no trânsito a caminho de casa. Não falou sobre as joias, poderia entregar-lhe no dia seguinte, mas o empregado-amigo não foi trabalhar. Pensou: vou à casa dele e entrego o mimo pessoalmente.

Severino morava no Engenho da Rainha, bairro suburbano próximo a Cavalcante, numa casa de dois quartos, sala com sofá-cama, cozinha, banheiro, despensa, uma área de serviço, tendo, na parte dos fundos, um pequeno quintal. Era o chefe de uma família de quatro pessoas: a mulher Eulália, que ele chamava de "patroa"; seu filho Sérvulo, o caçula, um forte rapazola, aplicado nos estudos do segundo grau numa escola pública, e a filha Catarina, preparando-se para o exame vestibular, com seus olhos de jabuticaba, cabelos de Angela Davis, lábios finos, nariz afilado como o da Taís Araújo, sorriso largo de dentes naturalmente corretos.

Silvério fez como havia pensado e partiu com o presente para a morada do amigo e foi muito bem recebido, com surpresa:

— Você me enganou e eu estou gostando. Disse que não viria e veio.

— É que eu comprei uma lembrancinha para sua filha, planejei lhe pedir para entregar, mas necas de você ontem.

Severino o apresentou à Dona Eulália, sua esposa, e gritou:

— Catarina! Vem ver quem está aqui!

Ao bater seus olhos caramelados nos negros da aniversariante, desabrochou nele o que se chama de amor à primeira vista. Apresentado e cumprimentado com um sorriso, não conseguiu responder ao "muito prazer" da moça. Sacou do bolso a caixinha e lhe entregou. Catarina desatou o laço de fita com seus dedos de pianista, delicadamente.

No brinde, Silvério bebeu apenas um copo de cerveja. Não comeu do bolo, porque não ingere açúcar, e tomou rumo de casa com aqueles olhos cor de azeviche dentro dos seus, encantado com o sorriso de dentes alvos como nuvens escondendo o céu da boca de beiços torneados por um leve batom vermelho claro, quase róseo.

Ao primeiro contato com o amigo Silvério, teceu comentários panegíricos sobre Catarina:

— Sua filha, embora não muito radiante, é bastante simpática e de uma beleza transcendente. Já está em tempo de lhe dar um genro, quem é o felizardo?

— Ela não tem namorado. Já foi noiva de um rapaz que eu gostava, mas desfez o compromisso e não disse o porquê. A conversa parou por aí.

O pai ficou sem saber que o motivo fora o tanto de decepções sofridas desde a segunda infância. Na pré-adolescência, teve um namorinho de escola. Uma coleguinha de classe pediu licença para ir ao toalete logo depois que o seu queridinho tinha ido e, devido a ele estar se demorando muito, também licenciada a ir, encontrou os dois aos beijos na porta do banheiro feminino. Esta foi a sua primeira decepção. A segunda foi aos dezesseis anos, quando tinha um namorado muito libidinoso que, ao beijá-la, apalpava os seus seios com suas garras e, ao abraçar, apertava as suas nádegas, acariciava as coxas e tentava levantar a sua saia, ocorrência que contou em confidência a uma colega que, sem que Catarina percebesse, excitava-se ao ouvir.

Apesar dos abusos do rapaz, Catarina sentia um grande amor por ele e as tentativas reprimidas a deixavam desejosa.

A amiga, não muito amigável, roubou-lhe o namorado, causando-lhe a terceira decepção, que a deixou desolada, uma desolação tão grande que Catarina se recolheu ao lar, de onde só saía para ir à escola. Cortou as amizades com as colegas, não retribuía sorrisos interesseiros de nenhum rapaz.

Assim, passaram-se dois anos. Por fim, no seu natalício de dezoito, festejado de porta aberta, como era hábito da vizinhança, um vizinho de vinte e seis anos entrou. Foi bem recebido e disse-lhe que, se soubesse, teria trazido um presentinho. Terminada a comemoração, a mãe foi para a cozinha preparar o jantar, e o pai, junto do irmão, ficou vendo um jogo de futebol na televisão. Ela e o Gilberto, de ombro a ombro no sofá da sala, papearam por um bom tempo. No meio da conversa, o rapaz disse que estava muito feliz porque tinha conseguido a carteira da Ordem dos Advogados e arranjou um emprego em um grande escritório de advocacia. Sabedor de que a aniversariante também tencionava ser jurista, perguntou se ela ia entrar para a faculdade de Direito e foi informado da desistência. Tentou convencê-la a não desistir, fazendo uma bela explanação sobre a importância da advocacia. Catarina ouviu atentamente sem tecer comentários, mas pintou um clima entre eles.

— Tenho notado que você não sai de casa. Senti a sua falta na festa junina.

— Resolvi ser prenda doméstica. Divirto-me ajudando a mamãe na cozinha e na arrumação da casa.

— Está passando um filme no Cine Madureira que dizem ser muito bom. Quero ir ver, mas estou sem companhia. Quer ir comigo?

— Ah! Eu ando meio sem graça, não serei uma boa companhia.

— Vamos! Eu faço graça para você.

Dada a insistência, ela aceitou o convite e voltaram de braços dados.

Enamorados, no ano seguinte, noivaram. Catarina voltou a sonhar com o casamento e, após um ano de noivado, para abreviar as núpcias, disse-lhe que estava preparando o enxoval e que o vestido, com longa calda, véu e grinalda, os pais já haviam encomendado.

— Boa! Eu também ando me preparando. Ainda não escolhi o terno, mas estou em vias de alugar um apartamento em Cascadura, que vi e gostei. Tem uma boa vista, não é num andar muito alto nem baixo, fica no quinto piso e está montado com armários, luminárias, ar-condicionado... Na cozinha, já tem geladeira e fogão. Quero lhe mostrar, tomara que goste. Vamos ver?

A noiva vasculhou os pequenos cômodos: quarto, sala, cozinha, banheiro e área de serviço. Adorou. Na janela da sala, apoiada pelos cotovelos, olhava para o céu azul de nuvens alvíssimas, tendo na cabeça sonhadora a música *Casa nos Ares*:

Sonho fazer uma casa nos ares/Será somente para tu viveres/ Do ar verás montanhas e mares/Nas nuvens brancas, sem os afazeres/Os teus dias serão mais bonitos/Vivendo acima deste mundo/Com os arcanjos e os angelitos/Velando sempre teu sono profundo//Num lugar onde ninguém vá lá/Para ver la luz de las nubes/Nenhum ser conseguirá chegar/Para ver la luz de la inmensidad./Eu vou fazer uma casa nos ares/ Pa'que no te moleste nadie.//Como esta casa no tiene cimientos/ Que es un invento que he inventado yo/Me la mantienen en el firmamento/ Los angelitos que le pido a Dios/Se te preguntan cual es el motivo/De hacer esta casa en el aire/La única forma de vivir tranquilo/Ese camino ninguno no lo sabe.

Aí, sorrateiramente, ele a agarrou pela cintura, aconchegou-se nas costas de conchinha, beijou a nuca e ela se arrepiou toda. Virou-se, abraçou-o e deu--lhe beijos fogosos. O noivo, em intenso estado de êxtase, a bolinou voluptuosamente e ela, fora de si, descompôs-se e, em pé, abreviaram "a primeira noite" com certa dificuldade e boas dores sentidas por ambos. No assoalho, pingaram gotas do líquido viscoso vermelho, caídas do hímen rompido e do prepúcio descolado em sensual circuncisão.

Ofegantes e com as respirações aceleradas, as batidas dos corações fora de compasso custaram a se normalizar. Recomposta, a nova mulher acalmou-se.

Ciente de que ele, logo após a formação acadêmica, fez uma prova, conseguiu a carteira profissional da Ordem dos Advogados e foi admitido em um grande escritório de advocacia, Catarina expressou-se, deixando evidente o seu desejo de abreviar o casamento e o noivo, feliz e sorridente, propôs-lhe:

— Quer morar comigo aqui?

— Adorarei, mas só após estar casada. Não tenho vocação para concubina.

A resposta foi ríspida e ele reagiu chamando-a de grossa.

Gentileza gera amabilidade e grosseria, agressividade. Em consequência, entraram em uma discussão que parecia interminável, até que Catarina, num gesto brusco, arrancou a aliança do dedo anelar e com a argola entre o indicador e o polegar, esticou o braço para devolver.

— Não quero! Pode ficar pra você, é uma joia.

Furiosa, atirou-lhe a aliança e o elo dourado girou com

celeridade, aos poucos foi diminuindo o impulso e, cambaleando, caiu junto aos pingos sanguíneos. Gilberto ficou paralisado e ela saiu porta afora, ofegante. Pegou o elevador, neste caso, para descer, com um pequeno arrependimento pela agressividade e chorou de soluçar.

Em casa, recolheu-se tendo em mente a autoproposição: "jamais vou abrir as pernas para qualquer outro homem. A experiência não foi ruim, mas também não muito prazerosa. Ouvi muitas amigas dizerem que eles são todos volúveis e iguais. Vou declinar do meu sonho de montar uma família e serei, durante todo o sempre, prenda doméstica".

Manteve a decisão de não se submeter ao exame vestibular para o qual estava inscrita e somente saía do lar em casos realmente necessários, como a visita que fez a uma ginecologista em Madureira, de onde ligou para o Severino.

— Oi, pai! Estou por perto. Se for agora pra casa, podemos regressar juntos.

— Não, filha. Combinei de tomar um chope com meu amigo Silvério, mas não vamos nos demorar. Vem pra cá. Posso passar aí e te pegar.

Ao vê-la, o companheiro, que não era muito de risos, abriu um sorriso com seus dentes harmoniosamente implantados, em contrapartida com os dela, lindamente irregulares como nuvens brancas escondendo o céu da boca, fantasiosamente azul.

A Manufatura Macho e Fêmea, microempresa de roupas sob medida dele, andava de vento de empinar pipa e estava precisando de mais uma costureira. Perguntou à Catarina se ela sabia manobrar máquina de costura e, com a confirmação de que gostava de coser, fez-lhe uma proposta de emprego. Ela, indecisa, disse que não era costureira profissional. O pai a interrompeu, dirigiu-se ao empregador e pediu para ele observar a veste que ela trajava: Silvério passeou com os olhos de cima para baixo, sem atentar para a saia e a blusa que a moça ostentava, confeccionadas por ela mesma, embevecido com os trejeitos da moça e tomado pela energia que ela irradiava. Catarina também o observava discretamente. Então, Severino anuiu e combinaram de iniciar no dia seguinte.

Não foi admitida só como funcionária, recebeu a incumbência de gerenciar a loja, e a nova gerente, antes tão indecisa, aceitou o desafio sem pestanejar. Na entrevista, inteirou-se de tudo o que teria de fazer e saiu-se muito bem na lida com os empregados. Em pouco tempo, passou a entender de tudo, inclusive a negociar com os fornecedores. Seu pai era um deles.

Em um indeterminado dia, Silvério observou que ela

estava usando só os brincos que ele lhe havia ofertado como presente de aniversário.

— Não gostou do pingente?

— Adorei, mas tenho receio de usá-lo. Há muitos larápios e eles arrancam cordões e colares dos pescoços. Só usei uma vez, quando fui a uma festinha familiar. Por cautela, levei na bolsa e só coloquei ao estar bem perto. Foi um sucesso, daqueles causadores de inveja e quebranto.

— Preciso conversar com você. Antes de sair, passe no meu escritório, por favor.

Ao chegar, o patrão já estava de saída e pediu para ela o acompanhar até uma confeitaria próxima, que tinha umas mesas com cadeiras ao fundo, onde conversariam enquanto ele comeria um sanduíche, por não ter almoçado.

No estabelecimento, havia uma variedade grande de sucos, o patrão pediu um de manga e a empregada preferiu de acerola. Sorveram versando sobre frutas nortistas e nordestinas, tais como cajá-mirim, mangaba, cajarana, caju, carambola, cupuaçu... Esgotado o assunto, o homem ficou admirando a funcionária com ar de encantamento, respirou fundo, expirou o ar pela boca e o sobrante alegre se entristeceu. Com pesar, disse que desistiu do que tinha a dizer porque já está com sessenta e três anos.

— Nossa! Pela jovialidade, pensei que sua idade fosse por volta dos cinquenta.

Esboçou um leve sorriso e, curiosa, quis saber o que ele havia pensado em lhe dizer.

— É... Sinto-me bem, entretanto, tenho consciência de estar mais para lá do que pra cá. O pior é que estou apaixonado por uma jovem.

— Que bom! Uma música diz que, para o amor, a idade não é empecilho.

Silvério pediu para Catarina cantar, mas ela disse que não tinha voz sonora e só poderia recitar e o fez quase murmurando:

O amor não tem cor, o amor não tem idade, o amor não vê cara nem religião, nem faz diferença do rico e do pobre. O amor só precisa de um coração. Amor não tem tom nem nacionalidade, dispensa palavras, basta um olhar. O amor não tem hora nem fórmula certa, não manda recado, chega pra ficar...

— Tem uma segunda parte, mas eu me esqueci. Agora, como recompensa pela declamação, gostaria de saber quem é que lhe enfeitiçou. Eu conheço?

— Claro. Conhece desde o dia em que você se viu, pela primeira vez, no espelho.

Por Catarina estar fingindo não entender a cantada, com um ar facial indecifrável, o cortejador se declarou:

— Encantei-me com você à primeira vista. A poesia da música recitada me encorajou e eu pergunto: quer ser minha namorada, noiva e esposa?

Olhos brilhantes se arregalaram, bochechas enrubesceram. De cabeça caída levemente para trás, passou uns poucos segundos olhando para o teto, como se estivesse fazendo uma consulta. Com doçura, confessou-se lisonjeada e, ao invés de responder, perguntou:

— Posso ser sua amiga, amiga de verdade? Prometo que me esforçarei para fazer tudo que for possível por você, com amorosidade e dedicação.

O apaixonado não desistiu. Utilizou, além de outros argumentos, o de que, apesar da idade, tem "um coração latejante e muito amor pra dar".

Durante a fala do patrão, a costureira dizia para si mentalmente: "eu gosto muito desse homem, poderei amá-lo". Aí, à sua mente, vieram as decepções e a resposta:

— Meu coração está apático. Não acelera mais com as energias do amor. Entretanto, desejo, afetuosamente, ser sua amiga devotada. Amizade sincera é uma forma de amor.

— É um consolo, disse sem ressentimento, e completou: concordo. Será um privilégio gozar do seu afeto, esforçarei-me para merecer. E pode recorrer a mim para qualquer coisa, farei o possível para atender e tentarei o impossível. Se alguém lhe importunar, irei a seu socorro em qualquer banda em que você estiver, a qualquer hora. Quero estar sempre ao seu lado.

Daí em diante, acabou-se o distanciamento natural entre patrão e empregada. Passaram a andar juntos e, nos fins de expediente, paravam em algum lugar para conversar e petiscar.

Catarina quase não parava em casa. Chegava, muitas vezes, já jantada e, aos domingos, Silvério a pegava na residência e iam a cinemas, teatros e shows musicais, ou saíam simplesmente para dar uma volta. Numa destas, foi à casa dele almoçar em companhia de um casal. Primeira a chegar, percorreu as dependências da habitação avarandada de dois quartos, banheiros independentes, sala ampla com lavabo contíguo, cozinha bem montada e uma saleta para assistir televisão. Elogiou a arrumação feita por uma diarista. A campainha tilintou, Silvério a pegou e foram, de mãos dadas, receber os chegantes. Apresentou Josélia, sua afilhada e Josias, noivo dela.

Não havia sinais de que haveria um jantar. Na geladeira, tinha apenas uma tábua de frios com presunto defumado, queijos, amendoim, castanhas do Pará e de caju, vinho branco e refrigerantes. Catarina ajudou a servir o casal nubente que, assentados, bebericaram e petiscaram. Josélia aproveitou a ocasião para entregar o convite de casamento e Josias convidou Silvério para ser padrinho.

Josias aparentava ser bem jovem. Não se pode dizer com certeza, mas a idade da moça regulava com a de Catarina, talvez um tanto abaixo, e o rapaz, um pouco mais acima. Ambos muito simpáticos, tratavam a nossa personagem como se ela fosse a dona da casa, a quem pediram para usar o toalete e licença para fumar um cigarrinho na varanda.

A campainha tocou novamente e, desta vez, era o entregador do jantar trazendo uma travessa grande de cozido à portuguesa, contendo pé de porco, morcela, toucinho defumado, chouriço, couve, batata inglesa, cenoura e dentes de alho, que Silvério encomendou, sabendo que todos gostavam da iguaria lusitana, deliciosa.

Os noivos tinham outros convites a entregar e, por isso, não se demoraram. Catarina botou tudo em ordem e foi conduzida de volta à sua residência.

Os pais dela, Severino e Eulália, ficaram felizes com o novo estado de ânimo da filha, porém a mãe não gostava nadinha das idas e vindas em horário tardio. Via o perigo de um envolvimento emocional. O pai não se preocupava. Aos olhos dele, a filha era uma menininha, bem-comportada e ajuizada.

Como Dona Eulália, pensavam os alfaiates, costureiras e demais funcionários da Manufatura Macho e Fêmea, a fábrica de roupas masculinas, femininas e unissex, gerenciada por Catarina. Dentre as pessoas que conheciam os sinceros amigos, algumas acreditavam que estavam tendo um caso sentimental. Entretanto, a amizade deles era de uma pureza angelical.

Catarina se preocupava com a saúde do amigo e o convenceu até a fazer o exame prostático. O incentivou a fazer exercícios físicos em uma academia de ginástica e caminhavam juntos, o que deixou Silvério com uma aparência muito saudável.

Alguns anos se passaram, com tudo marchando muito bem, até que, de repente, o tempo mudou como um dia claro sendo escurecido por uma nuvem turva: o urologista descobriu um tumor maligno que se desenvolveu em um dos intestinos do patrão, levando-o a se submeter a uma cirurgia e usar bolsa de colostomia. De alta, o enfermo recolheu-se ao domicílio e a cuidadosa Catarina praticamente mudou-se para a Vila Vaqueire. A mãe, preocupada, teve uma conversa franca com o marido:

— Severino! Você não acha estranho esse apego da nossa filha ao Silvério? Ela vive mais na casa dele do que aqui.

— O homem é digno e está doente, patroa. Passou por uma cirurgia complicada. Precisa de cuidados.

— Eu sei, mas ele deveria contratar uma enfermeira.

Neste momento, Catarina regressou. A mãe não a recebeu bem. Dirigiu-se a ela e tocou no assunto que estavam abordando. Discutiram. Com palavras ásperas, Dona Eulália demostrou desconfiança de que ela não estava se comportando bem. A reação foi lembrar que não era mais criança, já tinha atingido a maioridade e era uma mulher trabalhadora. Em meio à discussão, o mano Sérvulo chegou e o pai, que ouvia calado, interrompeu o embate, pegou a mulher pelo braço e levou para o quarto, enquanto a filha marchava para o seu. Todos dormiram em silêncio, com exceção de Sérvulo, que ouvia música com fones nos ouvidos e adormeceu no sofá-cama da sala.

A primeira a despertar foi Dona Eulália e, como de costume, preparou o desjejum e o colocou sobre a mesa. Em seguida, Catarina se levantou, cumprimentou a mãe sem rancores, tomou o café da manhã e beijou-a na despedida. A caminho do trabalho, ligou para o patrão-amigo, constatou que estava passando bem, rumou para a fábrica, vistoriou tudo, conversou com os funcionários, fez recomendações... O pai chegou com uma remessa de tecidos encomendada e a filha fez a contagem das peças, antes de assinar o recibo.

No fim do expediente, seguiu para a casa do chefe e o encontrou circunspecto, com um semblante contraído.

— O que houve? Está pensando em quê?

— Fazia uma retrospectiva mental da minha vida.

— Da minha você já sabe tudo, da sua, eu sei muito pouco. Gostaria de saber mais.

— Sou filho de mãe solteira, órfão na infância, criado em abrigo de menores, de onde só saí crescido. Lá, aprendi a ler, escrever e as quatro operações básicas da matemática. Havia cursos profissionalizantes, tais como prática em eletricidade, mecânica e auxiliar de alfaiataria. Trabalhei num ateliê de costura, labutei muito... Agora estou nesta triste situação.

Cessou a fala por uns segundos, o semblante foi decaindo, deixou os braços penderem ao lado do suporte lateral da cadeira e a cabeça baixar até o queixo tocar o peito.

Catarina, para reanimá-lo, bradou forte:

— Sai dessa, homem!

Silvério assustou-se e sorriu um riso forçado.

— Desculpe a minha fraqueza! Sinto que meu tempo está perdendo a validade. Posso lhe fazer o último pedido?

— Deixe de ser pessimista. Porém, se lhe satisfaz, pode fazer o que tem em mente e, no futuro, muitos outros.

— Reconsidere a sua recusa e case comigo.

Com o coração em disparada, Catarina exclamou:

— Eu te amo!

CAPÍTULO
II

Admirando-se, aflorou o narcisismo. "É... dizem que sou bonito e, realmente, eu sou", disse balbuciando para si mesmo refletido no espelho.

A hospitaleira senhora bateu na porta e estendeu-lhe um pijama próprio, que coube nele, por ser da mesma estatura. A chuva não parou e ele dormiu lá, na única cama que havia.

O BEBÊ E A BABÁ

Meio-dia. Sol a pino./Corre de manso o regato./Na igreja

repica o sino;/Cheiram as ervas do mato./(...) Meio-dia! O sol escalda,/E brilha, em toda a pureza,/Nos campos cor de esmeralda,/E no céu cor de turquesa...

Foi despertado, com estes versos de Olavo Bilac, pela mulher amada, num belo domingo primaveril.

Fizeram amor até a madrugada e ela acordou por volta das dez, sonhando em viver com ele por toda a sua vida. Há matrimônios que duram anos e anos, mas é bom os recém-casados terem em conta que pode haver rupturas. Rompimentos podem ser considerados normais, e as permanências, exceções.

Muitos, ou melhor, poucos casais chegam a comemorar bodas de prata e de ouro. Menos ainda confirmam a já citada frase "até que a morte nos separe", que os padres mandam os nubentes repetirem no ato matrimonial.

Pior separação é a da morte. *A Magra*, como dizia Monteiro Lobato, levou o pai do rapaz que, desde bebezinho, foi criado praticamente pela babá. A mãe laborava como secretária bilíngue do presidente de uma empresa multinacional, assessorando-o em reuniões, inclusive no exterior, e priorizava a sua função. Por isso, abriu mão dos deveres maternais e a ama é quem cuidava do seu bebê. Trocava fraldas, alimentava, dava banho, brincava... Na primeira infância, ao fazê-lo dormir, ninava e, pela manhã, o conduzia ao colégio maternal, de carro com motorista. No ensino fundamental e médio, substituía a patroa nas reuniões de pais e responsáveis.

Menino robusto e sadio, teve poucos problemas de saúde, apenas resfriadinhos e gripezinhas, ocasiões em que era levado ao médico da família. No desejo de alguma coisa, pedia à babá. Tendo algum problema, recorria a ela. Não se pode negar que a mãe era carinhosa com o seu único filho, pois, nos aniversários, comprava brinquedos e dava presentes nos dias das crianças, nem sempre agradáveis, porque ignorava os gostos do menino. A babá também o presenteava com mimos do seu gosto e, em decorrência, apegava-se mais à ama do que à genitora.

Nos dias de folga da babá, a mãe arranjava alguém para ficar com o filho que, nessas circunstâncias, ficava mal humorado, de face carrancuda, demonstrava amuo...

O menino foi crescendo, ficando independente, indo para a escola sem a ama, no micro-ônibus escolar. Adolescente, não gostava de ser levado e trazido pelo motorista e o chofer foi despedido. Por questão de economia, foi dispensada também a cozinheira, e a ama ficou responsável pela preparação dos alimentos, função que não gostava de exercer e, em poucos dias, pediu demissão.

Detalhe: sem receber os direitos trabalhistas, devido a não ter carteira assinada.

Coitadinha! Morava num bairro de periferia. Um certo dia, o agora amiguinho, cheio de saudades, decidiu ir visitá-la. Mentiu para a mãe que iria fazer um trabalho escolar na casa de um colega e foi ver a antiga babá. Bem acolhido, recebeu um forte abraço, trêmulo de emoção. Gostou da casinha simples, limpinha e bem-arrumada, de dois quartos, sala, cozinha e banheiro, construída em terreno de oito metros por dezesseis, tendo um pequeno quintal nos fundos com horta repleta de alface, taioba, almeirão, bertalha e outras hortaliças cultivadas para uso particular. O visitante não conhecia tais folhas comestíveis e a sua curiosidade foi satisfeita. Provou e aprovou. Passou a repetir a visita com constância, indo de ônibus. Do ponto até a residência de destino, caminhava por cerca de três quilômetros e, certa vez, logo aos primeiros passos, caiu, repentinamente, uma chuva de verão, torrencial e gélida. Chegou encharcado. Com ternura, foi encaminhado ao banheiro, com a recomendação de se despir e enxugar-se com a toalha de banho. Pelado e já sem frio, pois fazia calor, mirou o seu corpo esbelto, de tez com a qual ele pode ser visto como mulato, moreno ou "preto de pouca tinta" — coloração chamada, em Angola, de "fronteiras perdidas" — e ajeitou os cabelos crespos usados como os de negros assumidos. E ele era. Tinha consciência da sua origem e orgulho da ancestralidade africana. Admirando-se, aflorou o narcisismo. "É... dizem que sou bonito e, realmente, eu sou", disse balbuciando para si mesmo refletido no espelho.

A hospitaleira senhora bateu na porta e estendeu-lhe um pijama próprio, que coube nele, por ser da mesma estatura. A chuva não parou e ele dormiu lá, na única cama que havia.

Que noite inesquecível! O sol já estava alto no despertar daquele sábado, com café da manhã e um sorriso de grandes lábios e dentes alvos, pela primeira vez elogiados. De short e camisetinha de alça no corpo de falsa magra, a amiga parecia uma gatinha apesar dos seus quarenta e poucos anos. No almoço, arroz, feijão, carne seca acebolada e verdura colhida na horta do quintal. De noite, foram ao cinema, cada um pagando a sua entrada, como combinaram. De mãos dadas na fila de entrada, atraíam as atenções, mais ainda quando ele a abraçou pela cintura.

Uma senhora falando baixinho com seu marido:

— Ele deve ser filho dela.

— Que nada! Mães e filhos não ficam assim tão grudados o tempo todo. São amantes. E deve ter algum interesse em pauta.

— Não creio. Se bem que ela está bem trajada, mas o vestido longo não é de boa qualidade; a roupa dele sim, o tênis é de marca.

Outro casal:

— Olhe! Ele é tão bonito... Novo... E ela, uma velha.

— Não é velha, é jovial, e bem bonita.

Estes ciumentos seguiram discutindo, agora em voz audível, e os dois, embevecidos um pelo outro, nada ouviram.

Se ela fosse branca e ele preto, o rapaz seria acusado de *palmitagem* devido à diferença étnica. Em caso contrário, os preconceituosos diriam que ela é que estava *palmitando*.

Palmitar é um verbo novo, ainda não dicionarizado, de definição complexa.

Um negro ou negra que ascende socialmente passa a pertencer a classe dominante, composta, quase exclusivamente, por brancos. O "quase" escrito é uma parte ínfima. Naturalmente, se não forem racistas, se envolverão amorosamente com alguém de cor de pele diferente da sua, e isso não é *palmitar*. Porém, se é um preto ou uma preta que, com segundas intenções, relaciona-se com gente de pele alva, estão *palmitando*.

Surge o verbo *feijoar*, ainda não encontrado nos dicionários também. É compreensível, porque está sendo criado agora, para ser empregado para fazer referência ao caso de uma pessoa branca que gostaria de gerar filhos de cor escura e, por conveniência, só namora gente preta. Isto é *feijoar*.

O saudoso fundador da Banda de Ipanema, Albino

Pinheiro, preferia transar com negras. Era um *feijoador*? O maravilhoso cartunista Jaguar namorou uma empregada negra sua e assumiu a relação. Coitado! Levou a amada ao bistrô que frequentava com seus amigos boêmios, todos brancos, ela sentiu-se incomodada com os olhares e não quis voltar ao local. Foi com ela à quadra de ensaios da E. S. Quilombo, sediada em Acari, bairro suburbano, e estranhou o modo com que as negras e negros os trataram.

Naquela fila para o cinema, o casal de referência não estava *palmitando* nem *feijoando*, apesar da diferença de cor e de idade. Ele, dezessete, quase branco e ela quarenta e três, retinta.

Achadamente apaixonados, andavam sempre grudados, mesmo assim, volta e meia, curiosos perguntavam:

— É seu filho?

Ela respondia com firmeza:

— Não. É o meu homem.

O rapaz, aos poucos, levava os seus pertences para a casa da agora amada e, um dia, decidido, abarrotou sua mochila com seus pertences e comunicou à mãe que ia viver para sempre com a ex-babá.

Foi um "Deus nos acuda". A genitora fez de tudo para demovê-lo do propósito, inclusive difamando a antiga empregada, mas não teve jeito. Entrou até com uma queixa-

-crime, acusação de assédio sexual e pedofilia. Perante o juiz, o rapaz falou que, desde menino, era e ainda é apaixonado por aquela que foi sua babá e, recentemente, por uma contingência, teve de dormir na casa dela. De madrugada, a agarrou e...

Com um aparte veemente, a acusada declarou que não sofreu estupro, pois se entregou com prazer e muito amor.

Foi absolvida, claro. No final, o magistrado perguntou:

— Algum dos presentes tem algo a declarar?

— Eu tenho. Sempre trabalhei de babá por não conseguir ter filhos e gostar muito de cuidar de criança. Hoje, milagrosamente, estou grávida.

A mãe causante sempre sonhou em ser avó e, comovida, abraçou a antiga empregada, implorando: "Perdão, minha nora!"

O magistrado, repleto de comoção, sugou os lábios para dentro da boca, cerrou os olhos com força e prendeu o salgado líquido lacrimal.

CAPÍTULO
III

Há quem diga que um chorinho, executado por músicos virtuosos, causa uma emoção maravilhosa e os ouvidos ficam ansiosos para ouvir mais. O segundo dá um novo prazer auditivo, o terceiro idem, mas é bom quando para por aí.

LÁGRIMAS NO TEATRO

Choro, ou chorinho, como é mais conhecido, é um ritmo instrumental produzido por músicos populares que foram batizados de chorões. São assim chamados por seu jeito lamentoso e choroso, de musicalidade marcada por habilidades excepcionais, para instrumentistas, na execução do ritmo. Esta prática demanda muita dedicação, conhecimento e técnica, pois não é nada fácil de ser executada, e o músico tem de ter capacidade de improvisação.

Corretor de uma empresa imobiliária de subúrbio, o marido realizou uma venda, ganhou uma boa comissão e, depois de levar a esposa ao cinema, foram ver um espetáculo musical, onde se apresentavam músicos de chorinho. No palco, dois violões, cavaquinho, pandeiro e flauta.

O rebuscado ritmo da nossa música popular deve ser apreciado em silêncio total e de maneira concentrada, para se ouvir todos os acordes em escala.

Marinheira de primeira viagem, a mulher gostou inicialmente, mas teve de fazer muita força para não dormir. Os olhos iam ficando cansados e se fechando ao sabor da música, a cabeça pendia. O marido a cutucava e ela se assustava.

O companheiro ria em seco, mas também dava cochilos. Como ela, não era um habitué deste tipo de espetáculo.

Há quem diga que um chorinho, executado por músicos virtuosos, causa uma emoção maravilhosa e os ouvidos ficam ansiosos para ouvir mais. O segundo dá um novo prazer auditivo, o terceiro idem, mas é bom quando para por aí, e o show durou cerca de duas horas. Gostaram verdadeiramente só dos números finais, que tiveram a participação de um cantor de bela voz que interpretou dois chorinhos bem ritmados. O primeiro foi *Choro Chorão*:

Sim/Estou chorando/Nesse choro bem chorado/Um chorinho apaixonado/Como é meu machucado coração/Se estou zangado eu não choro/Mimado sou chorozinho/Emocionado sou chorão/Você só chora/Se desprezada/Depreciada/Na despedida/E eu só choro/Pela vitória/Pela beleza/E quando estou feliz da vida.

O segundo, *Escuta, Cavaquinho*:

Escuta, cavaquinho/As minhas preces/Senão o tempo passa e a gente esquece/Esquece de aprontar a fantasia/E celebrar a dor e a alegria//Toca pra que um sonho realize/Ou pelo menos guarde um press release/Pra que no futuro possam ler/Que somos seres que se amam tanto/E que misturam alegria e pranto//Eu violão, você cavaquinho/Eu na canção, você no chorinho/Sem acordar/Se era noite ou se era dia//Felicidade, uma utopia/Que a gente curtia e vivia no presente/Desse país que é toda eternidade/Com esse sol desfilando em carro aberto/E o futuro muito incerto/Mas já cheio de saudade.

Ao término, por volta de onze horas, pararam em uma lanchonete que ficava sempre aberta e entraram em confabulações sobre o show.

— Querida, você quase roncou!

— Você também, meu amor. O gozado é que despertava com os aplausos e batia palmas freneticamente, sem ter ouvido nada.

— Eu não dormia. Ficava de olhos fechados para curtir melhor o som.

— Kkkk! Dormia e ressonava.

— Afinal, gostou ou não?

— Gostei, de verdade. Não só pela música, mas principalmente porque, graças a você, posso dizer que conheço um teatro. Que ambiente bom! Cadeiras confortáveis, ar refrigerado, gente bonita, elegante... Se soubesse, teria me arrumado melhor.

— Que nada. Está linda e bem-vestida.

— Sabe o que eu observei? Ninguém ficou olhando pra nós, fazendo comentários perceptíveis. São bem-educados.

O público de cinema e de teatro é o mesmo. A sala, por ser moderna, é que inibe a falta de educação.

— Muito obrigada por ter me trazido, mas uma vez basta.

Disse, sorrindo, que gosta mesmo é de show de samba.

— Podemos ir, mas, antes, quero levá-la para ver uma peça teatral. Está em exibição uma sobre a escravidão, que, segundo a crítica especializada, é muito boa.

Convidada, aceitou sem empolgação. Achava que era um tipo de entretenimento de brancos, coisa das elites, como balé e música sinfônica. Iria dormir na cadeira mais do que no show de chorinhos, pensou.

Acatou o convite somente para agradar seu bom marido.

Dado o terceiro sinal, as luzes foram se apagando devagar até a penumbra e apareceu um vulto que foi sendo desvendado lentamente e ouviu-se a voz de um ator travestido de Castro Alves, recitando *O Navio Negreiro*:

'Stamos em pleno mar... Doudo no espaço/Brinca o luar — dourada borboleta;/E as vagas após ele correm... cansam/ Como turba de infantes inquieta.//'Stamos em pleno mar... Do firmamento/Os astros saltam como espumas de ouro.../ O mar em troca acende as ardentias,/— Constelações do líquido tesouro...//(...) 'Stamos em pleno mar... Dois infinitos/ Ali se estreitam num abraço insano,/Azuis, dourados, plácidos, sublimes.../Qual dos dois é o céu? qual o oceano?...//'Stamos em pleno mar... Abrindo as velas/Ao quente arfar das virações marinhas,/Veleiro brigue corre à flor dos mares,/Como roçam na vaga as andorinhas...//Donde vem? onde vai? Das naus errantes/Quem sabe o rumo se é tão grande o espaço?/Neste saara os corcéis o pó levantam,/Galopam, voam, mas não deixam traço.//Bem feliz quem ali pode nest'hora/Sentir deste painel a majestade!/Embaixo — o mar em cima — o firmamento.../E no mar e no céu — a imensidade!

O poema é longo. Ela, nem um pouco amante de poesia, ouviu atenta e ele jamais havia lido o épico poema, que termina assim:

Existe um povo que a bandeira empresta/P'ra cobrir tanta infâmia e cobardia!.../E deixa-a transformar-se nessa festa/Em manto impuro de bacante fria!.../Meu Deus! meu Deus! mas que bandeira é esta,/Que impudente na gávea tripudia?/Silêncio. Musa... chora, e chora tanto/Que o pavilhão se lave no teu pranto!...//Auriverde pendão de minha terra,/Que a brisa do Brasil beija e balança,/Estandarte que a luz do sol encerra/E as promessas divinas da esperança.../Tu que, da liberdade após a guerra,/Foste hasteado dos heróis na lança/Antes te houvessem roto na batalha,/Que servires a um povo de mortalha!...//Fatalidade atroz que a mente esmaga!/Extingue nesta hora o brigue imundo/O trilho que Colombo abriu nas vagas,/Como um íris, no pélago profundo!/Mas é infâmia *demais!... Da etérea plaga/Levantai-vos, heróis do Novo Mundo!/Andrada! arranca esse pendão dos ares!/Colombo! fecha a porta dos teus mares!*

Ao final, o ator foi muito aplaudido. As luzes se acenderam e, em seguida, surgiu uma atriz representando uma senhora idosa sentada em uma cadeira de vime, de espaldar alto, como se estivesse em um trono de rainha africana. Com sua voz macia, a atriz entoou a música *Mamãe Baiana*, de Hekel Tavares e Joracy Camargo, conhecida como *Cantiga da Preta Velha*:

Ioiô tá vendo nêga véia aqui sentada, mas num sabe a fiarada que ela tem pra sustentá. Eu crio eles, trabaiando o dia intero, remexendo os fugarêro prus bolinho num queimá. Sô preta mina lá da costa da Guiné, fui cativa, fui inté perdição do meu sinhô. Mas os meus fio, que nasceram brasiêro, do mais moço inté o primêro, todos eles são dotô. De madrugada, eu recôio essas quitanda, faço as rezas de Luanda, peço aos santos que me sarve. E a fiarada, que me deu São Benedito, lê os verso mais bonito do poeta Castro Arve.

Enxugando as lágrimas, quase não conseguiram aplaudir.

Executada a bela cantiga, seguiram-se cenas de mulheres negras atravessando o palco com cestos de frutas nas cabeças, outras cozinhando, varrendo a casa... Em um fundo de quintal, uma roda de samba animada contagiou os assistentes.

Que espetáculo bonito! Destaques para a versão do ato da assinatura da Lei Áurea, abolindo a escravidão e a última cena, com um ator negro caracterizado de São Benedito, entoando um canto que versa sobre os leilões de escravos.

Palmas, muitas e muitas.

Cerradas as cortinas, lacrimejando, a plateia gritou: "Bis, bis, bis!", e os atores se enfileiraram à frente, aplaudidíssimos. Fecharam-se as cortinas novamente e os aplausos continuaram. Os pedidos de bis foram atendidos com a cena da *Cantiga de Preta Velha*, com todos os atores ao redor da atriz cantando.

No trajeto do teatro até a casa, radiantes, comentavam sobre as belas e comoventes cenas. O marido sentiu falta de uma favela na peça, mas não criticou. É seu costume pensar antes de falar. Meditando, convenceu-se de que o diretor não evidenciou a vida dura dos negros libertos e a formação das comunidades, porque tencionou manter o foco no tema da escravidão, que dava título à peça, o que conseguiu com a dramática música também de Hekel e Joracy, *Cantiga de Preto Velho*, entoada no final:

De manhã cedo, num lugar todo enfeitado,/Nóis ficava amuntuado prá esperá os comprado/Depois passava pela frente do palanque,/Afincado ao pé do tanque, que chamava bebedô.//E nesse dia minha véia foi comprada/Numa leva separada de um sinhô mocinho ainda/Minha véinha era a frô dos cativêro/Foi inté mãe do terreiro da famia dos Cambinda.//No mesmo dia em que levaram minha preta/Me botaram nas grieta, qui é prá mó d'eu não fugi/E desde então o preto véio aperreô/Ficou véio como tô/Mas como é grande este Brasil.//E quando veio de Isabé as alforria/Percurei mais quinze dia,/Mas a vista me fartô!/Só peço agora, que me leve siá Isabé/Quero ver se tá no céu/Minha véia, meu amô!

CAPÍTULO IV

Sorveram suco de maracujá e mastigaram um sanduíche, em silêncio, ambos com expressões entristecidas. Ela tendente a pedir divórcio e ele pensando em reconquistá-la.

QUEM AMA, PERDOA

Um livro de poesia substitui a Bíblia. Com as mãos sobre ele, um belo casal de jovens que vive muito bem em regime de comunhão estável, sem desejar oficializar a união, brinca:

— Mulher, tu és uma dádiva divina. Prometo te dedicar toda a minha vida e te fazer feliz, muito feliz, porque eu te amo, adoro, venero e são tuas todas as minhas energias.

— Homem, tu és meu presente do céu. Serei sempre tua, a mãe dos teus filhos e farei de tudo pela tua felicidade. Meu amor por ti é inabalável.

Ela gargalha, passa a mão no meio das pernas dele, sai correndo pro quarto, ele vai atrás, pulam na cama e fazem um sexo divertido. O prazer de um é o gozo da outra e vice-versa. Despertaram sonhando com um padre e um juiz. Agnósticos, esqueceram o padre e casaram-se no cartório e, de galhofeiros, passaram à seriedade. As conversas deles eram quase sempre sobre as funções de cada um no trabalho ou papo cabeça sobre política e religião.

Nunca discutiam, raramente discordavam sobre um assunto ou outro e, inexplicavelmente, os cônjuges ficaram casmurros e, com poucas palavras, combinaram a separação.

De acordo com o que ficou combinado, o homem saiu de casa e foi morar em um flat. De tempo em tempo, voltava à casa, agora só dela, para pegar alguma coisa, conversar, matar a saudade... Sem contato físico, ficava cada um na sua, sem desejos e conscientes do afeto que os unia, com um samba dolente nas cabeças:

Podemos ser amigos, simplesmente/Coisas do amor nunca mais/Amores do passado, no presente/Repetem velhos temas tão banais/Ressentimentos passam como o vento/São coisas de momento/São chuvas de verão//Trazer uma aflição dentro do peito/É dar vida a um defeito/Que se extingue com a razão/Estranha no meu peito/Estranha na minha alma/ Agora eu tenho calma/Não te desejo mais//Podemos ser/Amigos simplesmente/Amigos, simplesmente/E nada mais.

A amizade se solidificou. Algumas vezes, foram juntos visitar um casal amigo que vivia em amor intenso. A mulher cuidava do seu homem como se fosse um filho, porém ele é que a bajulava mais. Dava-lhe presentes mesmo sem ser em dias festivos, cozinhava para os almoços de domingo. Em dias de semana, se chegasse em casa cedo, na volta do trabalho, preparava o jantar e não gostava de ajuda. Enquanto isso, ela ficava vendo televisão e ele, ao terminar o preparo, brincava:

— Filhinha, vem! Seu *papá* está pronto!

— Já vou, painho!

Órfã na infância, não tem lembranças do pai, sócio de uma empresa comercial e morto num acidente de carro, em companhia da sua bela secretária.

A missa de sétimo dia dos falecidos foi conjunta, isto é, na mesma igreja. O padre oficiante, após o sermão de encomenda das almas a Deus, leu uma pequena biografia dos falecidos e, tecendo elogios a ambos, franqueou a palavra para quem quisesse expressar os pêsames e José Dias, marido da vítima do desastre fatal, dirigiu-se ao púlpito.

Em sua fala, sem expressar tristeza, lamentou o ocorrido no qual duas vidas foram ceifadas pelo fatídico, mas declarou que para ele não foi uma grande perda, pois já havia pedido divórcio por adultério. O padre baixou a cabeça. Em silêncio sepulcral, fiéis de olhos arregalados. Não se ouvia nem as respirações. Após uma interrupção de segundos, o viúvo, sem embargo na voz, afirmou ter descoberto que a sua mulher e o chefe dela, também casado, eram amantes e havia provas irrefutáveis. Acrescentou que, no dia do acidente fatal, os adúlteros almoçaram juntos, mas não em um restaurante público, estavam na privacidade de um motel. Na volta...

Ao ouvir a fala, a sempre equilibrada mulher do falecido se descompensou e seus soluços ecoaram por toda a igreja. Saiu antes de terminar a missa, jurando, para si mesma, que jamais acreditaria em palavras de homem novamente e que seria para sempre celibatária, como uma freira. Quando jovem, ela tinha dois pretendentes declarados aos pais e o coração dela tendia mais para um, mas por influência dos genitores, decidiu-se pelo outro e se casaram. Entretanto, o preterido manteve a esperança de tê-la nos braços e, sempre que havia uma oportunidade, a cortejava acintosamente e não era correspondido. Esgotadas as palavras próprias, passou a usar outra arma frágil, as suas poesias sem graça, e nada de ressonância. Irritado, passou a ameaçá-la:

— Você vai ser minha de qualquer maneira. Se não for por bem, será por mal.

— Não namoraria com você nem se fosse o único homem do mundo!

— Engano seu. Vai ser minha de qualquer maneira. Vou te pegar à força.

Mantenedor de uma sociedade com seu falecido marido, certo dia, ligou com o subterfúgio de que precisava de uma assinatura dela em um documento e tangeu-lhe a porta. Atendido, pediu desculpas pelas ameaças e, com doçura, entregou-lhe a letra de um poema do Ferreira Gullar que a balançou:

Você é mais bonita que uma bola prateada/de papel de cigarro/ Você é mais bonita que uma poça d'água límpida/num lugar escondido/Você é mais bonita que uma zebra/que um filhote de onça/que um Boeing 707 em pleno ar/Você é mais bonita que um jardim florido/em frente ao mar em Ipanema/Você é mais bonita que uma refinaria da Petrobrás/de noite/mais bonita que Ursula Andress/que o Palácio da Alvorada/mais bonita que a alvorada/que o mar azul-safira/da República Dominicana//Olha,/você é tão bonita quanto o Rio de Janeiro/em maio/e quase tão bonita/quanto a Revolução Cubana.

Admiradora de Fidel Castro com tendência política para a esquerda, não resistiu à cantada e, hoje, estão casadinhos, o que confirma o dito popular de que "o futuro a Deus pertence" e os descrentes substituem o vocábulo Deus pela palavra destino.

A capitulação foi uma entrega voluntária, como se rendeu a personagem imaginada pelo poeta Hermínio Bello de Carvalho:

Que nem serpente/Até meus pés/Se rastejou/Me seduziu/ Meu coração fragilizou/Me envenenou, feriu//Depois cruel, me sequestrou/Me confinou no seu covil/E me entreguei ao seu amor/Me escravizei, servil//Tornou-se meu feitor/ Cambono, capataz/Um anjo protetor/Com ar de satanás/Me fez seu prisioneiro/Deixei-me acorrentar/E o meu resgate eu sei/ Nem penso estipular//(...) É um delinquente, marginal/Desabusado transgressor/Que se elegeu para ser algoz/De um atormentado amor//Mas nessa estória há um porém/Me escravizei porque eu quis/Se dele hoje sou refém/Jamais serei juiz, juiz...

Apaixonaram-se e convivem em harmonia com manifestações amorosas recíprocas e juras de fidelidade.

O mesmo não ocorreu no casamento da filha que tiveram. O genro prevaricou e ela descobriu. Enraivecida, a traída agrediu o marido verbalmente. Houve muito bate-boca e choradeira de ambos, mas, por fim, acalmaram-se. Sorveram suco de maracujá e mastigaram um sanduíche, em silêncio, ambos com expressões entristecidas. Ela tendente a pedir divórcio e ele pensando em reconquistá-la. Para animar o ambiente, em uma ação que visava demovê-la do propósito, ligou o aparelho de som e colocou um CD de bossa nova com Vinícius de Morais cantando *Samba em Prelúdio:*

Eu sem você não tenho por quê/Porque sem você não sei nem chorar/Sou chama sem luz/Jardim sem luar/Luar sem amor/Amor sem se dar//Eu sem você/Sou só desamor/ Um barco sem mar/Um campo sem flor/Tristeza que vai/ Tristeza que vem/Sem você, meu amor, eu não sou ninguém// Ah, que saudade/Que vontade de ver renascer nossa vida/ Volta, querida/Os meus braços precisam dos teus/Teus abraços precisam dos meus/Estou tão sozinho/Tenho os olhos cansados de olhar para o além/Vem ver a vida/Sem você, meu amor, eu não sou ninguém.

Em seguida, o de Tom Jobim com *Insensatez*, cujos últimos versos são:

Vai, meu coração ouve a razão

Usa só sinceridade

Quem semeia vento, diz a razão

Colhe sempre tempestade

Vai, meu coração

Pede perdão, perdão apaixonado

Vai, porque quem não pede perdão

Não é nunca perdoado.

Então, com um gesto humilde, ajoelhou-se e pediu clemência, argumentando que o acontecido não foi intencional e não tinha nenhuma importância. Explicou que uma secretária do presidente da gravadora, em altas horas, ligou para o seu apartamento pedindo ajuda, pois estava tendo alucinações suicidas. Foi socorrer e a encontrou em traje excitante, fumando um baseado. O cheiro e a fumaça da diamba o entonteceram, ela o agarrou loucamente e, sem conseguir se desvencilhar, envolveu-se.

Erguido da posição humilhante, foi intimado a ligar para a sedutora, com o telefone em viva voz. Se fosse confirmado o dito, ganharia o perdão.

A mulher, ao ver o nome dele salvo no celular, atendeu alegre:

— Oi! Quer falar com o chefe?

— Não, com você.

— Antes de ouvir o que tem a dizer, peço que esqueça o acontecido entre nós. Desculpe a franqueza, mas eu não me deito com o mesmo homem mais de uma vez.

CAPÍTULO V

No avião, uma pequenina saudade o fustigava. Lembrou-se das palavras dela sobre o prazer que sentiu com ele e sobre a possibilidade de se apaixonar, o que o deixou envaidecido. Censurou-se por não ter dito que seu coração está tendendo para o lado dela, deixando-o zonzo, a ponto de pensar em abandonar a família e viver com ela, só com ela, para todo o sempre.

SOLIDÃO

Virgínia se apaixonou aos dezessete anos. Com dezenove, já havia sofrido por amor e causado sofrimentos. Aos vinte, noivou. Comemorou os vinte numa boate, dançando alegremente com Felisberto, um gaúcho quarentão de aparência jovem, que a convidou a conhecer o aposento dele num hotel, de onde saiu ao romper do dia, com seu longo vestido noturno, sem saber nada dele além do primeiro nome.

À noite, jantaram num restaurante japonês, ela, usando pela primeira vez os *hashis* que Felisberto a ensinou usar. Só então conversaram.

Na sua mão direita, uma aliança dourada e, na esquerda dele, outra quase igual, só um pouco mais larga e, aparentemente, de um ouro de maior quilate.

O rapagão versou sobre as maravilhas da esposa, que vive somente para ele e os filhos. Virgínia largou os pauzinhos japoneses e, de face contraída, comentou e inquiriu:

— Ontem, quando estávamos na melhor, ela ligou e, da maneira como você falou, me pareceu que transparecia um certo nervosismo. Eu fiquei quietinha. Mesmo assim, será que ela desconfiou?

— Nem um pouco. Tem-me em alto conceito, é divina. Vivemos uma espécie de companheirismo com ternuras, carícias, carinhos... Como se fôssemos namoradinhos.

— Se ela é tão preciosa assim, por que a traiu?

— Como disse, nossa relação atual, praticamente, não é de marido e mulher. E você? É noiva e deitou-se comigo. Censura-me, mas não é fiel.

— Foi a única vez, pode crer. Descobri que ele transou com uma vizinha e resolvi dar o troco. Fiz por vingança.

— Eu sou mesmo um bobo. Dormi eufórico pensando tê-la conquistado e fui apenas objeto de uso carnal.

De início, falavam baixinho, as vozes foram mudando de tom, os ânimos se exaltaram.

— Melhor cortar o assunto aqui. Vamos conversar lá no hotel.

— Não acreditou no que eu disse? Está pensando que sou uma vadia disponível?

— Sem rebater, silenciou-se e pediu a conta.

Saíram calados. Virgínia o acompanhou. No destino, hesitou, mas subiu.

Em privacidade, conseguiram se entender. Ficou esclarecido o ato vingativo em que Felisberto se colocou na situação de objeto.

— Não deve se sentir assim, disse ela. Se fosse, eu estaria aqui com você? Não devia, mas tenho de dizer que senti um prazer jamais experimentado.

— Pra mim também foi a noite mais prazerosa.

— O problema é que estou correndo risco.

— Risco?

— Sim. De me apaixonar por um homem casado. Deus me livre!

Estavam no Planalto Central e ele, do Sudeste, voltou, no dia seguinte pela manhã, ainda com a fragrância daquele balsâmico corpo, apesar do banho tomado. No avião, uma pequenina saudade o fustigava. Lembrou-se das palavras dela sobre o prazer que sentiu com ele e sobre a possibilidade de se apaixonar, o que o deixou envaidecido. Censurou-se por não ter dito que seu coração está tendente pro lado dela, deixando-o zonzo, a ponto de pensar em abandonar a família e viver com ela, só com ela, para todo o sempre. Recordou-se do rosto alvo de Virgínia, que se avermelhou de felicidade e, "como gota de orvalho numa pétala de flor", uma lágrima escorreu.

Mal desembarcou do voo balançante, ligou com a intenção de confessar os seus sentimentos. Acontece que o pensamento voa, bateu asas e foi pousar na cozinha da sua casa, onde a esposa certamente estaria preparando um arroz carreteiro bastante acebolado e picanha de forno com moranga caramelada, comida que ele mais gosta ao chegar de uma viagem.

Com água na boca, não fez as declarações pensadas. Só justificou o telefonema secamente, com um pedido para que ela não o procurasse jamais e selou a conversa com um simples "adeus". A sonhadora Virgínia, abalada, soprou-lhe no ouvido um murcho adeus também. De olhos marejados, decidiu não manter mais relações sexuais e viver em recolhimento domiciliar como uma freira enclausurada.

Numa noite calma, seu celular tilintou:

— Alô!

— Sou eu, Felisberto, com saudades.

— Vá a merda! Tchau!

CAPÍTULO VI

Toda separação é dolorosa, inclusive quando um dos cônjuges está em estado de desgosto amoroso. Fica uma sensação de derrota, semelhante a que sente um médico abandonado pelo paciente, um advogado que perdeu uma causa ou um atleta em caso de competição perdida.

PERDOA, MAS NÃO ESQUECE

O marido voltou bronzeado, radiante, esbanjando felicidade. Para ver a mulher feliz também, a primeira atitude após o beijo de chegada foi dar-lhe as lembrancinhas que comprara. Desconfiada de algo que não sabia, recebeu e desdenhou dos presentinhos, olhou o marido de baixo para cima e comentou:

— Pelo jeito, as reuniões foram na areia da praia.

— Errou. Ocorreram na sala de convenções do hotel. Os encontros começavam às 10 horas, após o café da manhã e se estendiam até meio-dia e meia, com uma interrupção para o almoço. Recomeçavam às 15 horas e só terminavam às 18 horas, hora em que o sol já ia longe.

— Mas você saiu branco e voltou vermelho.

— É que eu me levantava às 7 horas, engolia um "brequefeste" com rapidez, ia dar um mergulho, pegava o sol da manhã, que, por volta das nove, já estava ardente. Aí, tomava uma ducha de água doce para enfrentar a reunião.

— E aquela maconheira? Estava lá? Aposto que ela te pegou de novo, como na viagem anterior.

Sem responder, rebateu:

— E você? Comportou-se bem ou ficou de pouca vergonha com a Gena, dando mole para os paqueras?

As desconfianças deram o start para uma discussão desinteligente. Que imbróglio! Não mediram as palavras, agrediram-se. Sem se calar, no meio do grande bate-boca desrespeitoso, a mulher pegou suas coisas de uso particular e enfiou em uma pequena mala. Certo de que a esposa ia abandoná-lo, tentando demovê-la do impulso, implorou:

— Amor, não se vá. Vamos esquecer tudo. Eu te amo. Dê-me um beijinho.

— Beijinho nunca mais! Vou pra casa da mamãe e de lá não voltarei.

Sem se despedir, saiu, apressadamente, porta afora.

Otimista, o marido acreditou que a sogra iria dar-lhe uns conselhos e mandar a filha de volta no mesmo dia e, sentindo um gostinho de vitória, pensou: "para aceitá-la de volta, vai ter de se ajoelhar aos meus pés".

A fujona chegou na casa da mãe em prantos. Ganhou um abraço de conforto, soluçando.

— Calma, minha filha. Vou lhe dar um calmante.

— Não quero. Continuo abstêmia, mas se houver uma cerveja, eu tomo. Melhor será se tiver uma cachaça bem forte para aumentar a minha raiva.

— Sente-se e pare de chorar que eu vou preparar uma bebida para nós duas. Você está me deixando nervosa também.

Voltou com um copo de água com açúcar e obrigou-a a tomar, dizendo que era o calmante que sempre lhe dava quando tinha um chilique.

Como filha obediente, tomou.

Mais calma, relatou a briga com o marido, por uma possível segunda traição dele.

— A primeira, eu absolvi, mas não esqueci e, agora, não tem perdão. Nem quero saber mais dele. Para mim, morreu.

Aqui cabe um adendo. Há um ensinamento popular que diz: "deve-se perdoar, mas não se deve esquecer". Este pensamento contraria uma doutrina religiosa que prega o perdão e o esquecimento, fundamento religioso.

A mãe, com doçura:

— Venha cá, minha filha. Você está precisando é de mimo.

Sentada nas pernas da mãe, com a cabeça no colo, parecia uma criança sendo acariciada e ouvindo a voz macia dizer que briguinhas entre casais são comuns e passageiras.

— Volta pra casa, filha. Fique apática e, sem dizer nada, faz uma grevezinha.

— Nem pensar. Quero voltar a dormir sozinha, no meu quarto.

— Ih! Seu canto agora virou um escritório, nem cama tem mais. Seu padrasto administra os seus negócios daqui. Faz tudo pelo computador e só uma vez por semana vai à firma. Agora, ele está pra lá, mas não deve demorar.

Recuperada pelo repousante colo de mãe, ligou para a amiga Gena e narrou o acontecido com tranquilidade. Ficaram conversando por um bom tempo e a expressão de tristeza facial se desfez. Pegou a mala ainda sem ser desfeita, deu um beijinho na mãe e saiu, dando a impressão de que ia em busca da reconciliação.

Disfarçou bem. Seu destino foi a casa da amiga.

Anoiteceu e o abandonado foi ficando triste ao meditar sobre as reviravoltas na sua vida.

Para se desanuviar, resolveu ouvir música. Ligou o aparelho de som e colocou o disco do seu cantor preferido. As primeiras o alegraram um pouquinho. Todavia, uma intitulada *Melancolia* ficou martelando, repetidamente, na sua cabeça e o desalentou:

Veio a brisa leve do amor, depois um vendaval de paixão e o sol brilhava no teu sorriso encantador. Tudo era como o amanhecer de um belo dia de verão: alegrias no entardecer, tristezas, não. (...) Mas explodiu um raio de ciúmes e o tempo mudou. Veio uma chuva de queixumes e um rosto molhou. Agora é só melancolia, pois nunca mais amanheceu. Pra nossa vida tão vazia, escureceu.

Enquanto isso, a esposa recebia o apoio da amiga: "não fique triste, não esmoreça. Um novo dia vai raiar. Sempre que um amor se vai, outro aparece. Tudo tem seu tempo." Deitada na mesma cama, de conchinha como certa vez, caiu logo "nos braços de Morfeu", Deus do sono na mitologia grega. Despertou com o sol a pino. Lembrou-se das palavras de estímulo da mãe e das realistas da amiga. À mente, veio a canção *Fim de Caso*, da compositora Dolores Duran:

Eu desconfio que o nosso caso está na hora de acabar. Há um adeus em cada gesto, em cada olhar, mas nós não temos é coragem de falar. Nós já tivemos a nossa fase de carinho apaixonado, de fazer versos, de viver sempre abraçados, naquela base do só vou se você for. Mas, de repente, fomos ficando cada dia mais sozinhos. Embora juntos, cada qual tem seu caminho e já não temos nem vontade de brigar. Tenho pensado, e Deus permita que eu esteja errada, mas eu estou, eu estou desconfiada que o nosso caso está na hora de acabar.

Ao mesmo tempo, o marido rolava na cama. Dormiu pouco, acordou cedo, preparou o seu café da manhã, sentiu falta da mulher. Caiu na real e então teve a clareza de quanto ele era dependente dela, lutando mentalmente contra a dependência: "eu já fiz meu 'brequefeste', posso fazer o almoço, o jantar. Não gosto de lavar louça nem de faxinar. Terei de contratar uma doméstica."

Depois de muito matutar, ligou para o celular dela e não foi atendido. Sabia que era ele, ficou triste, mas não retornou.

Atônito, resolveu apelar para uma amiga comum, sem saber que a esposa estava com ela, na intenção de que a amiga comum intercedesse por ele, mas foi desanimado. A falsa amiga, neste ato, falou com firmeza convincente: "ela está aqui deitada, descansando e não quer ser importunada. Acho melhor você se esforçar para esquecer e tentar pegar outro rumo. Quando acontece uma briga como a que ela me relatou, o casamento já desandou e nunca mais dará certo. Até!"

Toda separação é dolorosa, inclusive quando um dos cônjuges está em estado de desgosto amoroso. Fica uma sensação de derrota, semelhante a que sente um médico abandonado pelo paciente, um advogado que perdeu uma causa ou um atleta em caso de competição perdida.

Uma pergunta que martela cabeças, principalmente em relações acabadas que tinham tudo para dar certo: "será que eu não lutei bem pelo nosso amor?"

Só não padecem muito e sofrem menos com as desilusões, as pessoas que se casaram com a convicção de que não seria "até que a morte nos separe" e, mesmo vivendo em plena harmonia, nos momentos felizes, não afastam da mente a certeza de que toda felicidade é passageira, como preconiza uma triste canção da bossa nova:

Tristeza não tem fim/Felicidade sim.//(...) A felicidade é como a gota/De orvalho numa pétala de flor/Brilha tranquila/ Depois de leve, oscila/E cai como uma lágrima de amor.

Em caso de desamor, o melhor é se ligar num samba animador, como o *No Coração*:

Nada de sofrer/Nada de chorar/Nada de beber/E amanhecer dentro de um bar/Não esmorecer/Nem se acomodar/Nunca se esquecer/Que um novo dia sempre vai raiar/Esse tal de mal de amor já se sabe/Só se cura com um bom mal bem maior/É semelhante à picada de cobra/Cujo antídoto é o veneno da própria/Já foi picada, não sai do mato/Procura um outro mal bem bom/Se expõe no alvo/Alveja e acerta/Mas bem no coração.

CAPÍTULO
VII

Seguiram palavreando sobre o que é assédio. Concordaram que é passível de queixa-crime qualquer atitude que ofende e que galanteio não é assédio. Falaram de namoros, noivados, casamentos, de uniões por interesse.

MIGAS AO SOL

Marido e mulher estão numa boa convivência, sempre andando de braços dados ou mãos coladas, tal qual namoradinhos. Vão a cinemas, teatros, jantares... Escalado para ir a uma convenção internacional da sua gravadora, em Madrid, o marido fez a comunicação cantando um samba:

Vou viajar! Vou trabalhar! Tô indo já!/Contigo no meu coração/E dentro da minha cabeça/Sinto muito te deixar/ Enquanto eu estiver por lá/Pense em mim, não me esqueça/ Fantasie relações/Em que a gente se enlouqueça/Cuidado com as tentações/Por favor não me entristeça//Tu podes se distrair/ Privilegiando a conduta/Só vou porque tenho que ir/Longe é a minha labuta/Prometo vou me guardar/Podes crer, tenhas certeza/Na volta muitos presentes/Fartura pra nossa mesa.

— Vai comigo, amor?

— Ai, marido! É tão ruim de ficar longe de você, mas prefiro não ir.

— Ao terminar a convenção, podemos ficar por lá mais uns dias, ir à Barcelona...

— Gostaria, mas você vai ficar o tempo todo em reunião e eu abandonada no hotel.

— Ah! Vamos! Você é a minha mais gostosa gastronomia, mas a culinária espanhola é muito boa, falou galhofeiro.

— Acontece que eu vou ter de almoçar no quarto, sozinha. E, no jantar, vocês vão ficar conversando sobre o trabalho e eu, ouvindo calada, coisas que não entendo nem se referem a mim.

— Lamento, mas tudo bem. Um dia ainda a levarei para um passeio pela Europa, só nós dois.

— Oxalá não demore a acontecer!

Na partida, abraços, beijos, uma bela face lacrimada e um rosto, também bonito, seco. Lágrimas soltas de um lado, lacrimejo contido em outro.

Na confortável classe executiva do avião, a imagem da esposa e um balbucio sem som: "Que pena ela não ter vindo! Ainda estou longe do destino e já com saudade."

Ao desembarcar, puxando a mala de mão pela ponte telescópica — também chamada de sanfona —, que liga o terminal do aeroporto ao avião, ligou para casa:

— Oi, amor! Fez boa viagem?

— Excelente.

Preferiu não falar das turbulências, da demora para pousar devido à chuva e do grande tráfego aéreo, o que deixou uns passageiros irritados.

Passado o sufoco, o pouso foi tranquilo e os nervosos gritaram quase em uníssono:

— Bravooooo!!!

Também bateram palmas para a tripulação, mas, no âmago, aplaudiam a si mesmos por estarem vivos.

— Já pegou a bagagem?

— Estou a caminho das esteiras.

— Veste o casacão, mete o gorro na cabeça e as mãos nas luvas. Aí está muito frio, vi no aplicativo Climatempo.

Continuaram conversando.

Comentou que a amiga de ambos, recentemente descasada, sabedora de que ela estava só, a convidou para ir passar um dia com ela na Ilha de São Sebastião, litoral paulista, e ele a incentivou a ir.

Saudosa, confabulou muito do marido com a amiga e perguntou como ela se sentia separada e morando só. Soube que, volta e meia, encontram-se e convivem bem.

A casa tinha dois quartos, o menor ornamentado para a convidada com orquídeas brancas.

— Adorei o aposento, amiga. Grata pelas flores.

— Liguei para a faxineira e pedi para ela escolher na floricultura do shopping e colocar no seu quarto. Vou me trocar e ir lá comprar umas guloseimas. Quer me acompanhar?

— Claro. Vou só mudar de blusa.

— Como são lindos os seus seios! O cirurgião é muito bom, um verdadeiro artista plástico.

São naturais, disse pegando as mãos dela, colocando nos peitos e mandando que apalpasse para conferir as suas volumosas glândulas mamárias.

Apalpada e elogiada, disse que as mamas da amiga, bem menores, deveriam ser muito bonitas e pediu para ver. Trocaram elogios recíprocos.

Neste ínterim, ouvem o som de uma chamada. Era para a convidada. Ela e o esposo viajante conversaram em tom baixo, tal qual dois adolescentes apaixonados.

Coincidentemente, o celular da outra dava sinais de chamada do ex-marido, dizendo que estava no Rio de Janeiro, tomando um chope geladinho, em um quiosque de praia, com saudades dela e de São Paulo. Gargalhando, falou para ele deixar de mentirinhas, pois era impossível estar numa cidade linda e ensolarada, com tantas mulheres bronzeadas e charmosas, sentindo saudades dela e da *Terra da Garoa*.

"Pode acreditar", ele disse. Ficaram, alegremente, conversando também por um bom tempo.

Ligações encerradas, saíram em direção ao shopping. Havia vários homens conduzindo carrinhos de compras, o que não é normal, e as duas foram muito paqueradas, o que as deixou orgulhosas e também um tanto irritadas pelos galanteios, em tom de assédio, de alguns rapazes, exacerbações simplesmente ignoradas.

Preparada para dormir e vestida de um pijama claro de algodão, malha fina estampada, a hóspede, já em fase adulta, parecia uma criança.

A hospitaleira ainda não estava com sono e puxou conversa. Sentadas à beira da cama, palavrearam sobre os paqueradores no shopping, nenhum interessante.

— Que bobinhos! Não sabem que nos tempos atuais quem paquera somos nós, só com olhares discretos e gestos, sem fazer piadinhas sem graça.

— Quer uma sinceridade? Eu não me sinto ofendida se um homem passa por mim e sussurra, bem baixinho o chavão "você está linda". Quando nós estávamos estendendo as toalhas, dois rapazes teceram comentários em tom audível: um disse "a praia, hoje, está florida" e o outro completou "que bom! Duas flores desabrocharam". Senti-me lisonjeada.

— Eu também. Tive vontade de sorrir para eles, mas me contive.

Seguiram palavreando sobre o que é assédio. Concordaram que é passível de queixa-crime qualquer atitude que ofende e que galanteio não é assédio. Falaram de namoros, noivados, casamentos, de uniões por interesse, como fazem as famílias abastadas e faziam os nobres.

Princesas casavam-se com príncipes, com os quais nunca haviam trocado um olhar. Mesmo fora da nobreza, houve uma época em que os pais determinavam com quem as filhas iam se casar. As moças, assim como os rapazes, não tinham a prerrogativa da escolha.

Fazia um friozinho, a acolhedora deitou-se, convidativa.

— Se quiser, pode dormir aqui — disse, puxando a amiga para junto de si. Em noite silenciosa, adormeceram juntinhas, de conchinha.

Acordaram com os primeiros raios de sol em dia propício para banho de mar.

O domingo, que havia amanhecido não muito claro, rapidamente se tornou ensolarado e as duas foram mergulhar na deliciosa água fria que beijava a areia da praia, naquele dia, só frequentada por casais.

CAPÍTULO
VIII

O vocábulo "favela", identificador dos morros habitados e também nome dado a residências carentes horizontais, tem origem numa planta nordestina da qual nasce uma fava do tipo vagem, de polpa amarelada que exala odor semelhante ao do chocolate. Suas sementes são consumidas por diversas aves e também por humanos, ao natural ou como farinha para misturar com outros alimentos.

O PORRE

Há sambas alegres e tristes. A música *Favela Amarela* é um bom exemplo. Um prefeito teve a ideia de pintar os barracos das encostas de favelas próximas das principais vias por onde passaria a comitiva do presidente de uma nação amiga em visita ao país. Foi muito criticado pela imprensa e inspirou a música:

Favela amarela/Ironia da vida/Pintem a favela/ Façam aquarela/Da miséria colorida//(...) Vamos ter/No melhoramento/A dor como tema de ornamento/Procure compreender, seu doutor/A felicidade não tem cor.

Gravada e executada muito nas rádios, foi a música mais cantada no carnaval do ano de seu lançamento e reprisada em muitos outros seguintes.

Uma jornalista, ao entrevistar o tal prefeito, pediu as impressões dele sobre o sucesso da música e ele, de peito empolado, disse que deviam lhe agradecer, porque, se não tivesse mandado pintar as favelas, não haveria a música. Afirmou o seu desejo de pintar todos os morros e completou a resposta afirmando que, à noite, com pontos de luz visíveis, as favelas enfeitam a cidade, mas, durante o dia, enfeiam.

No bairro carioca de São Conrado, o contraste. Dividido em duas comunidades, a alta e a baixa. A de cima, dos favelados, é habitada por famílias carentes, negros em sua maioria, e a de baixo, por cidadãos de classe média, alta e rica.

Em quase todas as cidades há favelas, embora não pareça. Elas se encontram nas periferias dos municípios. O vocábulo "favela", identificador dos morros habitados e também nome dado a residências carentes horizontais, tem origem numa planta nordestina da qual nasce uma fava do tipo vagem, de polpa amarelada que exala odor semelhante ao do chocolate. Suas sementes são consumidas por diversas aves e também por humanos, ao natural ou como farinha para misturar com outros alimentos.

Um escritor ficcional imaginou uma favela tranquila e alegre, com festas na associação de moradores, espaço onde se dançava forró e samba nas portas das tendinhas... Em sua fantasia, havia uma "boca de fumo" bastante concorrida e sem problemas até ser tomada por uma facção criminosa que a invadiu, introduziu cocaína, *crack* e *cheirinho da loló*, um produto artesanal que, ao ser aspirado, causa sensação análoga à provocada por éter de lança-perfume.

Fantasiosamente, a situação piorou com a chegada de milicianos que expulsaram os traficantes, mantiveram os pontos de drogas, controlaram tudo o que chegava à favela e instituíram uma taxa de segurança. Formadas por policiais, bombeiros, guardas municipais, agentes penitenciários e militares da ativa fora de serviço por más ações ou expulsos das corporações, as milícias fantasiadas eram mais violentas do que os marginais que dominavam a favela.

No passado, a milícia era uma organização militar particular legal, de apoio a forças oficiais instituídas. O escritor Manuel Antônio de Almeida escreveu o livro *Memórias de Um Sargento de Milícias*, clássico da literatura brasileira, resumido pelo Paulinho da Viola:

Era o tempo do rei/Quando aqui chegou/Um modesto casal/ Feliz pelo recente amor/Leonardo, tornando-se meirinho/Deu a Maria Hortaliça um novo lar/Um pouco de conforto e de carinho/Dessa união nasceu um lindo varão/Que recebeu o mesmo nome de seu pai/Personagem central da história/Que contamos neste carnaval/Mas um dia, Maria/Fez a Leonardo uma ingratidão/Mostrando que não era uma boa companheira/Provocou a separação/Foi assim que o padrinho passou/A ser, do menino tutor/A quem deu imensa dedicação/ Sofrendo uma grande desilusão/Outra figura importante de sua vida/Foi a comadre parteira popular/Diziam que benzia de quebranto/A beata mais famosa do lugar/Havia nesse tempo aqui no Rio/Tipos que devemos mencionar/Chico Juca era mestre em valentia/E por todos se fazia respeitar/O reverendo, amante da cigana/Preso pelo Vidigal, o justiceiro/Homem de grande autoridade/Que à frente dos seus granadeiros/Era temido pelo povo da cidade/Luizinha, primeiro amor/Que Leonardo conheceu/E que Dona Maria/A outro como esposa concedeu/Somente foi feliz/Quando José Manuel morreu/ Nosso herói novamente se apaixonou/Quando sua viola, a mulata Vidinha/Esta singela modinha contou:/Se os meus suspiros pudessem/Aos seus ouvidos chegar/Verias que uma paixão/Tem poder de assassinar.

Poucos sambistas sabem este samba de fio a pavio. Uma personagem da escola madrinha da E. S. Unidos do Rosanol tinha conhecidos favelados e convidou amigos para subir o Morro dos Saguis, onde estava acontecendo uma festa de aniversário. Aceitaram o convite, porque o viram como uma aventura e, no regresso, curados dos prévios conceitos sociais que tinham dos moradores de favela, agradeceram ao amigo pelos inesquecíveis momentos agradáveis.

Todos sentiram-se muito bem no seio de uma família linda, de pessoas alegres e felizes, residindo numa casinha simples, limpa e aconchegante.

O único problema ocorreu na descida. Já haviam tomado bastante cerveja na festinha de aniversário, pararam numa tendinha e beberam mais. Logicamente, o dono da venda notou que eram visitantes e ofereceu, de cortesia, uma garrafa de cachaça rotulada com o nome do morro para levarem de lembrança. Pediram para abrir e beberam lá mesmo. Ficaram bêbados a ponto de quase não se aguentarem de pé, inclusive aquele que os levou à festinha.

A salvação foi o chefe da família visitada ter sido avisado e, com ajuda de outros moradores, os conduziu até o carro estacionado no pé do morro.

Que porre! Pior do que o deles, só o cantado pela bela Inezita Barroso:

Com a marvada pinga que eu me atrapaio. Eu entro na venda e já dou meu taio, pego no copo e dali nun saio, ali memo eu bebo e ali memo eu caio. Só pra carregar é que eu dô trabaio. Oi, lá!

Venho da cidade e venho cantando, trago um garrafão que venho chupando. Venho pros caminho, venho trupicando, xifrando os barranco, venho cambetiando e no lugar que eu caio já fico roncando. Oi, lá!

O marido me disse, ele me fala: "largue de bebê, peço por favô". Prosa de homem nunca dei valô, bebo com o sor quente pra esfriar o calô e bebo de noite é prá fazê suadô. Oi, lá!

Cada vez que eu caio, caio deferente, meaço pá trás e caio pá frente, caio devagar, caio de repente, vô de corrupio, vô deretamente, mas sendo de pinga, eu caio contente. Oi, lá!

Pego o garrafão e já balanceio que é pá mor de vê se tá

mesmo cheio. Não bebo de vez porque acho feio. No primeiro gorpe chego inté no meio e no segundo trago é que eu desvazeio. Oi, lá!

Eu bebo da pinga porque gosto dela, eu bebo da branca, bebo da amarela, bebo nos copo, bebo na tijela e bebo temperada com cravo e canela, seja quarqué tempo, vai pinga na guela. Oi, lá!

Ê marvada pinga! Eu fui numa festa no Rio Tietê, eu lá fui chegando no amanhecê, já me dero pinga pra mim bebê e tava sem fervê. Eu bebi demais e fiquei mamada, caí no chão e fiquei deitada, aí fui pra casa de braço dado, de braço dado com dois sordado.

Ai muito obrigado!

CAPÍTULO IX

Aconteceu um lance aparentemente negativo, que vai ser muito bom para nós. Eu estava pensando em reatar a convivência marital e propus que voltássemos a morar juntos. De início, ela me deu esperança ao dizer que eu fui o melhor homem que conheceu e eu, sensibilizado, falei da reciprocidade, do quanto a admirava e relembramos bons momentos vividos.

AMOR CORRESPONDIDO

É triste o dia seguinte a um desenlace, quase sempre para os dois ou as duas. Abandonado pela mulher amada e em completo desalento, sentindo-se deprimido, ligou para o grande amigo:

— Bom dia!

— Que voz horrível é essa?

— Estou carente. A mulher me abandonou. Preciso de palavras de conforto.

— Aguenta firme aí. Logo que puder, vou te ver.

Com fome e sem vontade de comer, ingeriu uma banana, mais tarde, uma maçã e só. O dia foi longo. O grande amigo só apareceu ao anoitecer e, sorridente, tentou levantar o ânimo do abandonado.

— Sai dessa! Também já passei por isso. Há males que vêm para o bem. Um fato que parece ruim, pode ser bom.

— Falar é fácil.

— Não é. Estou fazendo um esforço danado para não chorar por você. Mudemos de assunto. Tem um uisquezinho aí?

Balançou a cabeça nos sentidos norte–sul, abriu um armário, alcançou uma garrafa e dois copos apropriados, pegou gelo e sorveram em silêncio. Nas cabeças, passeavam as ex-mulheres. Antes do último trago, já se sentiam melhor. Tilintaram os copos e elas desapareceram.

Na despedida, um disse que, no dia seguinte, ia passar em um estúdio de gravação, acompanhando a produção de um disco, e o outro falou que ia almoçar com uns gringos europeus e jantar com outros asiáticos, interessados em intercâmbio cultural.

O labor é o melhor remédio contra os desencantos.

Era uma quarta-feira. Marcaram de se encontrar na sexta, na casa de um deles, e depois saírem para se distrair como dois solteirões que eram, embora ainda não divorciados.

Paqueravam as mulheres discretamente. Atentos para não assediarem, divertiam-se tecendo comentários sobre as atraentes com as quais cruzavam.

— Viu que bonita?

— Além de bela, deve ser gostosa. Acho que está sem sutiã. Chamou-me atenção os seios abundantes, ou melhor dizendo, fartos. "Abundante" lembra bunda.

— Por falar nisso, eu me impressionei com o traseiro dela. Livre da calça apertada e da blusa empinada pelos mamilos, deve ser uma loucura. Pagaria para ver.

— Eu não ficaria satisfeito só com a vista. Faria qualquer coisa para me acabar naquele corpão. Ao cruzarmos, vi que não é muito bonita de rosto, mas o cabelão é provocante. Mulheres com tais características são boas de cama.

As imagens das transeuntes ficaram latentes nas cabeças deles e a mais impressionante foi a de uma altiva, que os fitou com ar dominador. Não sabiam nem poderiam saber, mas ela foi cantada em prosa e versos musicados:

Marcantes dobrinhas atrás dos joelhos e lindas batatinhas moldando as canelas. Meu Deus! Que magia têm os calcanhares no alto dos saltos das sandálias dela!

Ela veio andando com tanta altivez e ao passar me fitou com feitiço no olhar. Eu senti um tremor de desejo e de medo, me dando motivo pra fantasiar.

Na bolsa que ela carrega deve ter algemas, chicote ou chinela e a tatuagem completa o fetiche que a correntinha de ouro revela...

Não eram de badalações, mas se atiraram nas baladas. Na quadra de ensaios de uma escola de samba, as meninas dos olhos se moviam agitadas no sentido leste–oeste, atraídas pelos bumbuns das passistas.

Presenciaram uma conferência sobre preconceitos, discriminações e homofobia na empresa e depois foram até a uma boate LGBTQIA+, que tem como público-alvo lésbicas, gays, bissexuais, transexuais e outros grupos de identidade de gênero e orientação sexual. Olhando de banda, viram duas moças se beijando e sorriram, acharam bonito e se encantaram com dois rapazes abraçados, acariciando-se.

Com as andanças e caminhadas particulares, a amizade entre os dois amigos aumentou bastante e este sentimento, se muito nutrido, tende a se transformar em amor, independente de gênero.

Alô, meu querido ledor sem preconceitos! Oi, minha amada leitora feminista!

Considerando que vocês são amantes de leituras de conteúdos apimentados, peço-lhes que se concentrem e preparem-se para ler um conto de amor impactante:

Para amainar o sofrimento de desamor do amigo, conduziu-o em um exercício mental restaurador e ordenou que ele executasse tudo o que mandasse.

— Levante os braços. Dê três pulinhos nas pontas dos pés. Abra os braços. Venha, vamos dar um abraço e permanecer com nossos corpos grudados o máximo possível, para trocar energias, contando mentalmente até quarenta, mais ou menos, no compasso de um minuto e desabraçar bem devagarzinho. Ok? Vamos lá: 1... 2... 3... 40.

Quarenta e poucos segundos abraçados, não parece, mas é um tempo longo. Impossível adivinhar o que passou pelas suas mentes durante o abraço. O que conduzia controlou o tempo.

— Eu estou ótimo. Como está se sentindo?

— Muito bem.

— Agora podemos falar sobre nossos dissabores, sem sofrimento. Abra o seu coração e ouça o que vou dizer. Aconteceu um lance aparentemente negativo, que vai ser muito bom para nós. Eu estava pensando em reatar a convivência marital e propus que voltássemos a morar juntos. De início, ela me deu esperança ao dizer que eu fui o melhor homem que conheceu e eu, sensibilizado, falei da reciprocidade, do quanto a admirava e relembramos bons momentos vividos. O nosso diálogo prolongou-se. Eu sério, esperançoso, ansioso e ela abrindo um sorrisinho sinalizando nervosismo na expressão enigmática. Parecia esconder alguma coisa. Desconversou, ou melhor, desviou a conversa para outro rumo, eu evidenciei a boa intenção e, devido à minha insistência, confessou que está apaixonada por outra pessoa, com quem já está dividindo sua cama. Já sei até quem é. Fiquei um tanto abalado, mas me conformei, pois o nosso caso é apenas do tipo amizade colorida. Gostamos apenas de dormir juntos de vez em quando, brincar de fazer neném.

Um sorri e o outro, sério, se abre:

— O que não é o meu caso. Não sei namorar sem paixão e não conseguirei viver sozinho. Eu quero um amor.

— Se é isso que quer, é o mesmo que eu desejo e já temos.

Silêncio.

— Não entendi.

O apaixonado respirou fundo, encheu-se de coragem e, de olhos nos olhos, declarou-se:

— Temos sim. Uma afeição profunda, definição de amor verdadeiro. Eu amo você! Tenho certeza de que me ama também. Já nos demos várias demonstrações de carinho e há um vínculo afetivo intenso entre nós. É a tal afeição profunda. Repito, na primeira pessoa do singular: eu te amo! Sou capaz de te amar e ser fiel a ti.

A surpreendente declaração penetrou nos ouvidos e fez uma confusão na cabeça do cortejado. O corpo tremeu, as pernas bambearam. Zonzo, viu tudo girar, como quem tem labirintite e tenta reunir todas as energias para conseguir ficar firme e, cambaleante, conseguiu, com esforço, dirigir-se ao seu quarto.

O declarante deixou o corpo cair em um sofá de três lugares, passível de servir de cama, aliviado como uma pessoa que tinha uma espinha de peixe na garganta e desengasgou.

Deixou o corpo cair para um lado e se esticou, pensativo: "será que eu fui afoito? Deveria fazer uma abordagem mais indireta, com uma colocação romântica?"

Em seu aposento, o cortejado fez um balanço mental da situação: "eu, abandonado, fiquei depressivo, pedi *help*, fui socorrido e arranjei um problema sentimental. Não posso me negar o que sempre almejei, um desejo impossível de concretizar, fadado a ser mantido em platonismo."

Um no sofá da sala, outro no leito do quarto, um silêncio sepulcral, interrompido pelo chiar da água da pia no banheiro da suíte, onde lavava o rosto suado em dia sem calor. Na cabeça, a declaração que não saiu da boca: "eu também te amo e quero amar-te eternamente".

Novo silêncio, interceptado agora por um chiado mais forte do que a água da pia. Era o barulho do chuveiro. Chiados de água sempre provocam vontade de urinar. A porta estava entreaberta, o companheiro adentrou, fez xixi e ficou admirando o amigo pelado. "Que corpo alvo! Que barrigona sarada! Que pernas longas! Que bonito...!"

O ensaboado, da mesma forma, ficou observando o corpo esguio do amigo com admiração mental: "que bonito...! Físico proporcionalmente bem distribuído, sem barriga, bundinha empinada..."

Em sua mente, veio a imagem da sua mulher, de anatomia indiscutivelmente mais atrativa.

As fêmeas, sendo convencionalmente feias ou bonitas, gordas ou magras, altas ou baixas, pretas ou brancas, sempre têm um ângulo atraente. Lembrou-se da esposa abandonadora e de suas desagradáveis reclamações por qualquer coisa deixada fora do lugar, a mania de limpeza e as atitudes possessivas. Dominadora, raramente se entregava ao amor, não gostava de anal nem oral, normalmente só fazia o manual, e ele gostava.

Um pequeno lampejo de saudade piscou tal qual relâmpago apagado pela escuridão da noite e desapareceu.

CAPÍTULO X

Matutou, matutou, matutou e decidiu tirar a filha do morro. Foi à casa da comadre, relatou o caso como preâmbulo de um pedido a fazer, a boa senhora o interrompeu educadamente, declarou ter grande amor à afilhada e dispôs-se a acolhê-la.

DUROS POLICIAIS

O chefe de família cansado do batente, salta do ônibus lotado na esquina da rua direcionada à favela, onde mora, e ganha uma dura de um policial arrogante que lhe disse uns desaforos. Grossamente liberado, apertou os lábios, prendeu na boca um revide, baixou a cabeça e seguiu seu destino a passos lentos, sentindo-se impotente. Retesou a face e teve de fazer esforço para conter uma lágrima de raiva que teimava em cair. Parou na subida do morro para aliviar as pernas, e um menino, portando arma de fogo, ordenou que ele seguisse em frente. Num ímpeto, deu um passo na direção do moleque para puxar-lhe as orelhas e o pivete sacou a pistola. Estancou, engoliu um palavrão, girou o corpo e subiu a viela. Chegou em casa irritado pelas ocorrências, impaciente com a mulher.

— O que foi que houve, marido?

— Nada! Nada!

Mais calmo, desculpou-se e relatou suas desventuras, lastimoso.

— Tenho Fé em Deus que ainda desceremos, sem jamais voltar.

No morro, os moleques ligados aos traficantes andam bem-vestidos em relação aos demais, usam tênis de marca reconhecida e são os preferidos pelas adolescentes para namoro. Não só pelos trajes, mas porque exercem um certo poder, andam armados, o que é uma atração, e as moçoilas se sentem mais seguras ao lado deles do que dos pais.

A linda filha do operário namorava o bandidinho desafeto do seu pai. Ao ser encarregado pelo gerente do chefe do tráfico a ir levar droga para uma casa da rua, o jovem traficante se apaixonou pela irmã do viciado, com reciprocidade. Descoberta a traição, sua ex-namoradinha irritou-se, discutiu com ele e foi agredida.

O pai soube do relacionamento da filha e da agressão à outra moça e passou uma noite inteira sem dormir, pensando em tirar satisfações.

Como fazer isso, se o marginal está sempre em companhia de outros, todos armados, sendo alguns assassinos sanguinários?

Matutou, matutou, matutou e decidiu tirar a filha do morro. Foi à casa da comadre, relatou o caso como preâmbulo de um pedido a fazer, a boa senhora o interrompeu educadamente, declarou ter grande amor à afilhada e dispôs-se a acolhê-la.

A mocinha não queria ir. Esperneou, acusou o pai de estar expulsando-a de casa, mas acabou indo morar com a madrinha, residente num bairro distante.

Um rapaz branquelo de olhos de azeviche, órfão duplo que, como ela, era afilhado, residia na casa da madrinha. Atraído pelo verde da íris dela, a cortejava com intenção de namoro e a mulatinha de olhos esverdeados fingia não perceber. Ficaram amigos e, num momento a sós, ele se declarou quase balbuciando e ela desconversou, atitude que o entristeceu:

— Gosto tanto de você. Pena não querer namorar comigo.

— É porque eu sou preta betume e você, branco leitoso.

— Falando assim, está me parecendo racista.

— Não. Racismo é deformidade de branco. Pretos não têm este defeito.

— Agora estou te vendo como muito preconceituosa.

Discutiram bastante, com acusações mútuas às raças, num bate-boca proveitoso, pois se conscientizaram de que ambos tinham preconceitos impensados, como todos nós. Selaram o conflito com um carinhoso abraço e Jonas deu-lhe um beijinho na face. Com o contato corporal, sentiram uma sensação boa, bem diferente da amizade. A partir de então, o "bom dia" entre eles era sempre seguido de um abraço e ela também osculava a face alva. Não demorou muito para os lábios se encontrarem e os corações aceleraram tal qual o ritmo de uma escola de samba, nos últimos minutos do desfile, para não perder pontos na cronometragem.

O amor chegou como água que desce da montanha. Provocando uma erosão tamanha, desaguou e fez onda no meu mar. Se agigantou como o samba que arrasta a minha escola, com a força que tem uma canção que o povo mais gosta de cantar. Quem foi que disse que amar é tolice? Não é, não. É sensação bem maior do que se pensa. Irreverente ao marcar sua presença vai e vem nas marés de muitos tons. Tolo é quem não viaja nas ondas e nos sons do amor que vem.

Enamorados, receberam as bênçãos da madrinha comum, noivaram, casaram e tiveram duas filhas, sendo uma branca e outra negra não muito preta. Esta, de olhos azulados, lábios rechonchudos, nariz afilado e aquela, de olhos verdes e profusos cabelos crespos. Depois, veio o caçula, sem herdar nada dos pais. Nasceu de tez morena e olhos castanhos.

O genitor estudou medicina, tornou-se psiquiatra e a mãe formou-se em psicologia. Com sua influência, a terapeuta conseguiu um emprego para o pai, de motorista particular da diretoria de uma clínica onde ela também atendia. Graças ao bom salário, o novo homem realizou o sonho de descer o morro, sem volta. Foi morar numa casa, longe da favela.

Em visita à filha no consultório, de terno preto e gravata:

— Pai, você está elegante, mas seu traje não é adequado. É verão.

— Nós, os homens negros, somos muito abordados por policiais, duramente. Ando sempre assim. Nunca mais ganhei dura da polícia, acham que sou doutor.

— Não, pai. Pensam que é segurança.

CAPÍTULO XI

Rapaz educado, de boa lábia e muito convincente, sua intenção era, sem arrogância, conseguir que o tal homem deixasse a sua companheira em paz, passando uma borracha no acontecido, ou melhor, falando na linguagem atual, "deletando o mal consumado", mas o encontro terminou em crime.

O CAPOEIRISTA

Congestionamento. Tempo quente. Gente irritada atrapalhando o trânsito.

Perguntado por um motorista, um vendedor ambulante informou que estava havendo um protesto, sem dizer o motivo.

A confusão acontece na rua principal, cortada por uma transversal inclinada que desemboca em uma favela de casebres bem populares. É a Serra dos Imaginários, lugar em que os moradores vivem em harmonia. A alameda transversal a uma das ruas que tem subida para o morro está agitada. Moradores fazem manifestação e jovens descem da favela para engrossar o protesto. O trânsito fica interrompido e os motoristas dos carros mais atrás da fila, por não saberem o motivo da retenção, irritados, buzinam.

Que balbúrdia!

No morro tranquilo, os favelados são unidos e vivem em harmonia. Tem um clube onde rola baile funk, igreja protestante, terreiro de umbanda e uma capelinha sem padre, onde os católicos se reúnem para rezar e saem em procissão, com uma imagem de Nossa Senhora Aparecida, que percorre o morro, no segundo domingo do mês de outubro, cantando o hino da Padroeira do Brasil.

Viva a mãe de Deus e nossa/Sem pecado concebida!//Viva a Virgem Imaculada/A Senhora Aparecida!//Aqui estão vossos devotos/Cheios de fé incendida/De conforto e de esperança/Ó,

Senhora Aparecida!//(...) Virgem santa, Virgem bela/Mãe amável, Mãe querida/Amparai-nos, socorrei-nos/Ó, Senhora Aparecida!//(...) Velai por nossas famílias/Pela infância desvalida/Pelo povo brasileiro/Ó, Senhora Aparecida!

Semelhante procissão acontece no morro, na segunda quinzena de maio, em homenagem à N. S. de Fátima.

Os santuários de Fátima e de Aparecida são visitados, anualmente, por um incomensurável séquito de devotos, que vão para assistir as missas. O presidente da Associação de Moradores organiza excursões ao Santuário de Virgem Negra e até o dono da boca de fumo e coca participa das homenagens à N. S. Aparecida. Traficante muito querido, embora seja um marginal procurado pela polícia com a cabeça a prêmio, ninguém o denuncia. É verdade que os moradores mais pobres são tentados a denunciar, mas falta coragem. No morro, os alcaguetes não são bem-vistos e, se descobertos, são submetidos a julgamentos sumários com o risco de serem condenados à morte. É uma das chamadas "Leis dos Morros", aplicadas por não haver ingerência permanente do poder público nas favelas. Governadores desgovernantes e prefeitos imperfeitos são eleitos, em parte, com os votos do "pessoal lá de cima", mas acham que "aquela gentinha" não faz parte da cidade. Na comunidade, os moradores transitam em segurança e nos arredores também, porque o chefe do tráfico não permite que sua quadrilha de jovens assalte no bairro.

Com a parada do trânsito, em dia de muito calor, surgiram vendedores de água, também amendoim, biscoito Globo... Perguntado, um outro vendedor ambulante informou que prenderam o dono do morro e estava havendo um protesto.

Dois motoristas com os carros ladeados conversam demostrando indignação:

— Este Rio virou uma bagunça depois de 84.

— É mesmo, mas a desordem começou antes, com a abertura política. O Leonel Brizola foi eleito em 1982 e ordenou que favelado também fosse tratado como cidadão.

Outros dois também emparelhados, sem ouvir o diálogo acima, comentavam:

— Os favelados estão certos. No regime democrático, quando não se gosta de uma atitude, protesta-se.

— Tem razão. Nós, os chamados cidadãos com direitos plenos, estamos muito acomodados. Reclamamos entre nós nas conversas em grupo até dos síndicos, mas não agimos, poucos comparecem às reuniões de condomínio.

— No período da ditadura militar, jornalistas, artistas, teatrólogos e outros mais driblavam a censura e se manifestavam. Muitos foram presos, torturados, mas outras vozes insurgiam. Nos chamados anos de chumbo, havia até grupos armados, como o MR8.

Conversavam em voz alta, quase aos gritos, porque as buzinas continuavam estridentes.

O causador da confusão, antes, era um trabalhador pacato, estudava a noite e cultivava o sonho de ser advogado, quiçá defensor público. A ironia do destino o levou a ser traficante, o que aconteceu por acaso: ele sabia que o chefe do tráfico anterior, com fama de garanhão, assediava sua bela mulher. Não ligava, tinha certeza de que ela não lhe daria trela.

Uma noite, ao regressar à casa, a encontrou acabrunhada e, inquirida, confessou que o bandidão a ameaçou de sequestro e estupro. Sentiu-se na obrigação de ir confabular com o mandachuva do morro.

Rapaz educado, de boa lábia e muito convincente, sua intenção era, sem arrogância, conseguir que o tal homem deixasse a sua companheira em paz, passando uma borracha no acontecido, ou melhor, falando na linguagem atual, "deletando o mal consumado", mas o encontro terminou em crime.

O valentão, que andava sempre com seguranças armados, achou ser uma petulância o rapaz querer negociar e o agrediu com palavras grossas, chamando-o de moleque atrevido, mas não só isso. Deu-lhe um tapa na cara e ameaçou-o com sua pistola.

Não se deve dar tapa na cara de ninguém. É pior que um soco. Ao levar tapa no rosto, a cabeça esquenta, o agredido toma coragem e quase sempre reage.

Como era capoeirista, era um rapaz forte e agiu como o personagem de um dramático samba do João Nogueira, que matou um valentão:

Beto navalha, sujeito malvado

Muito respeitado

Aonde morara.

Lá na matriz a vida por um triz

Vida que eu falo

É força de expressão

Pois não se vive direito

Com ódio no peito e armas na mão

E entra ano, sai ano...

E o Beto tirano

De todos tirava

Até que um dia, um tal de Tião

Que a humilhação já não mais suportava

Foi até Beto e desafiou:

Vamos brigar que hoje é tudo ou nada

Partiu sem medo, pagou pra ver

E gritou bem é forte: quero é mais

Certo é que Beto morreu

E a gente do morro

Não tem medo mais

Ao receber a bofetada, o capoeirista arrepiou-se, tomado por um ódio que jamais sentira. Deu um salto em cima do desafeto, atingiu-o com os pés, aplicando o golpe chamado "rabo de arraia" sobre o agressor, que empunhava sua arma. Rolando com ele no chão, conseguiu tomar-lhe o revólver e, à queima roupa, o matou com três tiros.

Misteriosamente, os asseclas do chefão não se envolveram, ficaram paralisados.

O rapaz desceu o morro atônito com o acontecido, foi à delegacia e confessou o assassinato.

O delegado deveria fazer o registro e mandar que ele aguardasse o julgamento em liberdade, mas foi preso acusado de associação ao tráfico e encarcerado junto com um traficante membro de uma facção criminosa.

No mesmo dia, aquela delegacia foi invadida, os policiais foram encarcerados, o seu companheiro de cela resgatado e ele aproveitou para fugir.

Ao chegar na favela, o falecido já havia sido enterrado lá mesmo, no cemitério clandestino, localizado na grimpa da colina e os marginais se encaminharam na direção dele e o cercaram. Rodeado, pensou que iria ser chacinado e seu coração disparou.

Surpreendentemente, aqueles homens sacaram as armas, fizeram uma salva de tiros para o ar e o ovacionaram, reconhecendo-o como novo chefe e o apelidando de *Capoeira Bambambá*. Seria bem lógico o vulgo ser "Papapá", mais coerente com o som dos três tiros.

Depois de uma relutância inicial, convenceu-se de que já estava perdido mesmo, pegou o fuzil T4 e a pistola do falecido, que lhe entregaram, assumiu o cargo e comandou o negócio escuso com mão pesada e dedo no gatilho da metralhadora portátil AK-46, comprada de um policial aposentado que negociava armas de fogo.

O comércio das drogas é muito lucrativo. O novo chefe não consumia, só vendia. Vez ou outra, bebericava uma latinha de cerveja, bem devagar. Pode-se dizer que não bebia. Muito organizado e econômico, juntou dinheiro, comprou uma casa em outro bairro e mudou-se com a família. Porém mantinha uma residência no morro, uma verdadeira fortaleza, com saídas estratégicas, para onde ia diariamente, saindo de sua casa de rua protegido por forte segurança: dois motoqueiros à frente, dois atrás e dois carros com homens armados.

Homem durão com seus subordinados e com qualquer morador que o contrariasse, agia "sem perder a ternura". Só não perdoava e não se penalizava de estuprador. Suas atitudes eram de respeito aos mais velhos, proteção às mulheres... Quando havia um chefe de família sem condições de comprar remédio para um filho ou filha doente, ele emprestava o dinheiro e, na maioria das vezes, dispensava o pagamento da dívida. Não era como os milicianos agiotas que foram expulsos por seu exército de descamisados. As milícias são formadas por ex-policiais militares, marginais violentos, exploradores e opressores de favelados, habitantes das periferias.

Com o passar do tempo, diminuiu as precauções, dispensou quase toda a sua segurança e se deslocava apenas com um motorista e três asseclas, sentado no meio do banco traseiro do seu carro blindado. Em consequência do relaxamento, em uma ação muito bem planejada, seus seguranças foram mortos e ele sequestrado. Os milicianos exigiram uma soma de dinheiro muito alta para ele ser libertado, quantia que não tinha, mas os sequestradores, descrentes, o torturaram.

Por fim, foi assassinado friamente e o seu corpo jogado naquele cruzamento de ruas ao pé da favela.

O povo desceu do morro para a encruzilhada. Lágrimas copiosas escorreram pelos rostos das mulheres. Homens enfurecidos. Adolescentes jogando pedras nos policiais.

CAPÍTULO XII

Todo viajante, seja um intelectual que vai conferir uma palestra, um artista a se apresentar em um palco distante, um alto executivo que se desloca para uma reunião empresarial ou mesmo se faz uma viagem apenas de lazer, deve rezar, ao partir, a Oração de São Francisco.

NEGRITUDE FELIZ

Após um satisfatório almoço, o carioca pegou o carro e foi dar uma volta na tranquila cidade que escolheu para morar. Em marcha lenta, girou por quase duas horas apreciando coisas que não se observa em dias normais, ouvindo música instrumental, o que é muito bom para não se estressar no trânsito.

Com os mais modernos edifícios e a mais variada gastronomia do país, é a única cidade onde se pode saborear comidas típicas de qualquer região nacional e de todas as nacionalidades. Do restaurante de comidas típicas de Minas Gerais, à la carte, gostou. Retornou ainda mais encantado com a cidade que escolheu para viver, uma das maiores metrópoles do mundo.

Sua mulher era da equipe de marketing de uma empresa multinacional. Tinha uma amiga filósofa e jurista, esposa de um empresário de uma firma produtora de espetáculos e gerenciamento artístico, quase na mesma área do seu próprio marido, executivo de uma gravadora fonográfica.

Levavam uma vida social intensa, mas com o passar do tempo e estreitamento da amizade, preferiam conviver em particular. Vez ou outra, iam a teatros, casas de shows... Os jantares, em um restaurante de comida internacional, também eram bons programas.

Não gostavam de eventos que aglutinam muita gente, com exceção de passeatas, como a denominada Parada do Orgulho LGBTQIA+, cuja sigla antes era formada somente pelas letras iniciais dos grupos de lésbicas, gays, bissexuais e transgêneros, formando a sigla LGBT. A bandeira que os representa tem as cores do arco-íris e, no dia da Parada, vão todos marchando juntos, como numa manifestação política, o que não deixa de ser.

Atualmente, as passeatas do orgulho LGBTQIA+ são como um grande carnaval, contando com a participação de pessoas que representam vários recortes da sociedade, como transexuais, simpatizantes, artistas, políticos partidários... E muita gente fantasiada, com destaque para as drag queens.

Também participavam das caminhadas contra a intolerância religiosa, que aconteciam na cidade, algumas lideradas pelo Doutor Ivanir, babalaô carioca que lhes foi apresentado pela Professora Helena Theodoro, escritora muito culta e feminista militante, dedicada às causas das mulheres negras. Foi casada com o inspirado compositor Lopes, que se tornou um intelectual e escritor consagrado, com obras diversificadas, inclusive dicionários incomuns na literatura brasileira e já deveria ser membro da nossa principal Academia de Letras.

O babalaô Ivanir é um exemplo de superação. Na infância, foi internado em um mal falado órgão educacional de carentes, onde os internos eram muito maltratados, ocasionando revoltas. Alguns conseguiram fugir e parte deles se tornou marginal. Ele, com sua calma e bons modos, aplicava-se nos estudos e cativou os educadores. Na hora do recreio, ia para a biblioteca. Apaixonou-se pelos livros, cultivou o hábito da leitura e tornou-se um Professor Doutor em Letras, agraciado com prêmios internacionais.

Um preto autorracista foi nomeado para presidir uma fundação de apoio a pretos discriminados. Em seu discurso de posse, disse que o racismo não existe, que o órgão de movimento dos negros deveria ser extinto e chamou artistas militantes de vagabundos. Um agredido, em resposta, publicou um texto com o título "Eu, vagabundo", em uma revista semanal de enorme tiragem e, num parágrafo, afirmou que há quem diga que viagem de diversão é vagabundagem, mas não é. O viajante busca se enriquecer culturalmente com os novos conhecimentos que adquirirá, o que propicia uma abertura mental. Aconselhou os viageiros dizendo que todo viajante, seja um intelectual que vai conferir uma palestra, um artista a se apresentar em um palco distante, um alto executivo que se desloca para uma reunião empresarial ou mesmo se faz uma viagem apenas de lazer, deve rezar, ao partir, a Oração de São Francisco:

Senhor, fazei-me instrumento de vossa paz. Onde houver ódio, que eu leve o amor; onde houver ofensa, que eu leve o perdão; onde houver discórdia, que eu leve a união; onde houver dúvida, que eu leve a fé; onde houver erro, que eu leve a verdade; onde houver desespero, que eu leve a esperança; onde houver tristeza, que eu leve a alegria; onde houver trevas, que eu leve a luz. Ó Mestre, fazei com que eu procure mais consolar que ser consolado; compreender que ser compreendido; amar que ser amado, pois é dando que se recebe, é perdoando que se é perdoado, e é morrendo que se vive para a vida eterna.

Viajantes agredidos verbalmente, em legítima defesa, devem recitar, sem raiva, a letra do samba *Palpite Infeliz*, do Poeta da Vila:

Quem é você que não sabe o que diz? Meu Deus do céu, que palpite infeliz!

E, para os que desconhecem Zumbi dos Palmares, símbolo das liberdades, cantar o jongo que resume a sua história:

Liderou o Quilombo-Nação já multirracial. Proibia a discriminação de maneira qualquer, entre jovens e idosos, crianças e adultos, guerreiros e excepcionais. Índios, caboclos, negros e brancos, além de entre homem e mulher. Zumbi.

Zumbi, Zumbi. Zumbi dos Palmares, Zumbi. Sonhava fazer de um Estado um grande coração. Pernambuco até Alagoas ser um mesmo chão. Não morreu, porque mais do que gente, ele era ideais e os grandes ideais não morrem jamais. Rei Zumbi, Rei Zumbi. Ê Zumbi! E então surgiram aos milhares por esses brasis, quilombos, mocambos, Palmares e novos Zumbis que até hoje norteiam cabeças pensantes pregando a miscigenação de um povo que canta, que dança e proclama: Zumbi, eis a tua Nação.

Esta letra, musicada pelo maestro Leonardo Bruno, encerrou um concerto sinfônico, *O Concerto Negro*, apresentado magistralmente no Theatro Municipal do Rio de Janeiro, com ingressos esgotados, bisado e reprisado com os assistentes cantarolando o estribilho:

Rei Zumbi, Rei Zumbi! Ê Zumbi, Zumbi dos Palmares, Zumbi.

CAPÍTULO
XIII

Em casos de melancolia causada por um confinamento domiciliar, minha gente, soltem a voz com a esperança de que o mal vai passar. Cantem! Cantem sempre, no banheiro, na cozinha, em qualquer lugar. Quando chegar fevereiro, quase sempre o mês do carnaval, caia na folia. Pule em blocos, bandas e gingue numa ala de escola de samba.

ALEGRIA! ALEGRIA!

Bento, que Bento é o frade

Frade!

Na boca do forno

Forno!

O que o mestre mandar

Mandar!

Faremos todos.

São crianças brincando?

Não, são adultos em um gurufim, versão brasileira dos combas angolanos, feitos para negros, para espantar as tristezas.

Com um corpo de morto estendido no caixão, sobre uma mesa, os ancestrais africanos cantavam e dançavam ao som de tambores; os atuais ainda assim procedem nos nascimentos, batizados, noivados, casamentos, doenças, falecimentos... Nas enfermidades, cantos rituais religiosos e, nas mortes, batuques profanos, danças e cantigas fora do âmbito religioso.

Comparecer a um velório, chamado de "comba", em Angola, era um ótimo programa, com muita comida e bebidas. Se os familiares do falecido têm pouco a oferecer, os amigos se cotizam e compram.

Os negros favelados brasileiros, nos falecimentos, faziam algo semelhante, o gurufim, velório com brincadeiras engraçadas, petiscos e bebidas compradas pelos participantes, que se cotizavam pelo sistema de "vaquinha", coleta de dinheiro, sem haver quantia estipulada. Cada participante dava o que podia.

Era muito bom ir a um velório. Tinha de tudo: choradeiras, rezas, brincadeiras...

Os gurufins acabaram porque, nos tempos atuais, os corpos dos mortos não são mais velados em casa, sobre mesa de refeições. São velados, com raras exceções, nas capelas dos cemitérios.

É muito triste morrer.

Epa! Este conto descambou para a tristeza e o título (*Alegria! Alegria!*) é o mesmo de uma bela música do Caetano Veloso, mais reflexiva do que divertida, observem:

Caminhando contra o vento/Sem lenço e sem documento/ No Sol de quase dezembro/Eu vou//O sol se reparte em crimes/Espaçonaves, guerrilhas/Em cardinales bonitas/Eu vou// Em caras de presidentes/Em grandes beijos de amor/Em dentes, pernas, bandeiras/Bomba e Brigitte Bardot//O sol nas bancas de revista/Me enche de alegria e preguiça/Quem lê tanta notícia?/Eu vou//Por entre fotos e nomes/Os olhos cheios de cores/O peito cheio de amores vãos/Eu vou/Por que não?

Por que não?//Ela pensa em casamento/E eu nunca mais fui à escola/Sem lenço e sem documento/Eu vou//Eu tomo uma Coca-Cola/Ela pensa em casamento/E uma canção me consola/ Eu vou//Por entre fotos e nomes/Sem livros e sem fuzil/Sem fome, sem telefone/No coração do Brasil//Ela nem sabe, até pensei/Em cantar na televisão/O sol é tão bonito/Eu vou//Sem lenço, sem documento/Nada no bolso ou nas mãos/Eu quero seguir vivendo, amor/Eu vou, por que não?

Em casos de melancolia causada por um confinamento domiciliar, minha gente, soltem a voz com a esperança de que o mal vai passar. Cantem! Cantem sempre, no banheiro, na cozinha, em qualquer lugar. Quando chegar fevereiro, quase sempre o mês do carnaval, caia na folia. Pule em blocos, bandas e gingue numa ala de escola de samba.

Cantando forte e alto, a vida vai melhorar. Quem canta afugenta os males, estando no morro, comunidade de periferia ou no asfalto urbano, cantem e sambem. Pode ser um samba enredo, uma canção lenta, uma bossa nova, um partido alto, um samba de roda, sincopado ou de breque. Este, criado pelo Morengueira, quase não se ouve mais. Um somente foi composto e gravado recentemente:

Sei que todos sabem quem eu sou

Mas agora vou me apresentar melhor

Posso ser amigo de um qualquer

E de quem quiser me ouvir pra sair da pior

Meu gosto é penetrar nos ouvidos

Balançar os corpos, atingir os sentidos

Dizem que eu surgi na Bahia

E sou carioca registrado

Bem-criado nas favelas

mas posso ter sido cria

De qualquer um outro Estado

(FALADO)

Ou em qualquer cidade que tinha uma senzala e sons de zuela

Dos batuques sou sequela

BATUCADA

Do Brasil sou patrimônio, imaterial

Representativo como o Hino Nacional

Que só toca em cerimônias

E não ganha nem aplausos

(FALADO)

Eu sou aplaudido nos eventos

E sem nenhum acanhamento

Nos festejos sociais

Sou de roda, sou da bossa, sou do breque

E além do mais

Eu sou o rei dos carnavais

FALA FINAL

O Malandro Moreira da Silva, inventor do samba de breque, não era da folia, não bebia e nem curtia uma diamba e o Zé Kéti, portelense e bom dikamba, falou:

— Eu sou o samba. A voz do morro sou eu mesmo, sim senhor.

Morengueira, apelido para o Moreira da Silva, foi um malandro diferente. Dormia cedo, não frequentava a boemia, nem brincava carnaval. Os protestantes radicais dizem que carnaval é coisa do demônio, mas não. O demo não gosta de alegria.

O carnaval pode ser classificado como uma festa cristã, pois sua origem tem relação direta com a quaresma, época de jejum quaresmal, em que alguns católicos jejuam na Quinta-feira Santa e, na Sexta da Paixão, os adeptos do catolicismo não comem carne. Segundo os estudiosos, a palavra "Carnaval" é originária do latim, *carnis levale*, cujo significado é "retirar a carne", ou melhor, não comer carne no período da quaresma, momento dedicado à contrição, estado de arrependimento e reflexão por pecados cometidos e ofensas a Deus.

Como tinham de ficar contritos na quaresma, por quarenta dias, nos antecedentes, cantavam, dançavam, bebiam e comiam alegremente. Escravos e servas eram trajados e trajadas de senhores e damas e vice-versa, assim como reis se vestiam de vassalos e estes, de nobres. Por isso, no carnaval, se vê muitos homens vestidos de mulher e o contrário também. Nos tempos atuais, ninguém se priva dos prazeres da vida na quarentena quaresmal e, mesmo assim, não desistimos de carnavalizar. Procedem os pensamentos "quem canta seus males espanta" e "pra vencer, tem que lutar". Lutar de modo pacífico e com fé, não só no sentido religioso, também acreditando que a união fortalece os unidos que empunham, mentalmente, a Bandeira da Fé:

Vamos levantar a bandeira de fé! Não esmoreçam e fiquem de pé pra mostrar que há força no amor. Vamos nos unir que eu sei que há jeito e mostrar que nós temos direito pelo menos à compreensão. Se não um dia, por qualquer pretexto nos botam cabresto e nos dão ração. Pra lutar pelos nossos direitos, temos que organizar um mutirão, derrubar os preconceitos e a lei do circo e pão. E ao mesmo tempo cantar, sambar, amar, curtir. Só assim tem validade, minha gente, este nosso existir.

Para todos os humanos, desde os primórdios, a alegria é uma necessidade vital. Quem não canta e não dança fica com a saúde fragilizada, podendo perecer com pouca idade.

Em tempos obscuros, de incertezas e de pragas, a tristeza é também uma ameaça à vida. Ela alimenta as tensões e as preocupações, que, exageradas, alavancam os medos, os pânicos e os melhores remédios são a alegria, o riso e a música.

É importante rir até da própria desgraça e, defronte a um espelho, faz bem se criticar por ter cometido algum erro. Xingar a si mesmo, sem raiva, também é saudável. Um palavrão solto, alegremente, não é obsceno.

CAPÍTULO XIV

Assim como o *Hino Nacional*, o samba é um símbolo do Brasil, mas, devido ao grande preconceito da época, não era aceito nos eventos sociais. Só foi absorvido quando o despreconceituoso Noel Rosa subiu morros, conheceu Ismael Silva e Cartola, fez parcerias com eles e incluiu samba no repertório do Bando dos Tangarás.

PELO TELEFONE

— Oi, amigo! Ooi, amigo! Oooi, amigo!

— Oi!

— Te chamei três vezes, por que não respondeu logo?!

— Desculpe. Estava distraído, mas acho que não foi por isso.

— Você não mora por aqui, o que veio fazer? Alguma namoradinha?

— Quem me dera! Venho da delegacia. Um amigo meu foi preso e eu fui saber o motivo. O delegado me disse ser suspeita de roubo e ele perguntou se eu era ladrão também. Senti-me ofendido e não respondi. Atinei ligar para a casa dele, meu celular estava quase sem carga e eu pedi para usar o telefone. Aí, ele fez sinal para um policial e me algemou, obrigou-me a sentar numa cadeira e me deu um telefone. Minha cabeça ainda está zunindo.

Telefone é uma forma de tortura. O algoz aplica tapas simultâneos nos ouvidos da vítima. Falar em tortura causa arrepios, melhor mudar o rumo da conversa e falar de música.

Antes da sonorização mecânica, os sambas, sem segunda parte, tinham um estribilho para todos cantarem e um partideiro inventar versos, isto é, tirar partido cantando alto. Daí, veio a denominação "partido alto" e, na edição de *Pelo Telefone*, em 1916, apareceu, pela primeira vez em um registro, a palavra "samba" definindo um ritmo que começa assim:

O chefe da polícia

Pelo telefone manda me avisar

Que na Carioca tem uma roleta para se jogar

Este foram os primeiros versos de samba gravados em disco, escritos pelo jornalista Mauro de Almeida, possuidor de telefone, aparelho caro na época. Ernesto dos Santos, o Donga, autor da parte musical, não tinha. *Pelo Telefone* é a criação mais importante na História do Samba.

Há muita controvérsia sobre sua composição, inclusive se é samba ou maxixe, mas, de verdade, é "samba *maxixado*".

Antes de *Pelo Telefone*, algumas músicas do gênero foram feitas e gravadas de maneira precária e, em 1917, foi feito disco fonográfico.

O chefe da polícia

Pelo telefone manda me avisar

Que na Carioca tem uma roleta para se jogar

Ai, ai, ai! Deixe as mágoas pra trás, ó rapaz

Ai, ai, ai! Fica triste se és capaz e verás

Olha a rolinha, Sinhô, Sinhô

Se embaraçou, Sinhô, Sinhô

Caiu no laço do nosso amor

Porque este samba é de arrepiar

Põe perna bambas e faz gozar

Depois desta parte, muitos outros versos foram improvisados e alguns repentistas reivindicaram a parceria, mas não a obtiveram porque eram diversas improvisações minimamente variadas.

Com o advento do rádio, na década de 1920, o *Pelo Telefone* passou a ser tocado para todo o Brasil e, por bastante tempo, foi muito cantado nos blocos que desfilavam pelas ruas em carnavais do Rio de Janeiro.

Assim como o *Hino Nacional*, o samba é um símbolo do Brasil, mas, devido ao grande preconceito da época, não era aceito nos eventos sociais. Só foi absorvido quando o despreconceituoso Noel Rosa subiu morros, conheceu Ismael Silva e Cartola, fez parcerias com eles e incluiu samba no repertório do Bando dos Tangarás. Por esta atitude, Noel foi muito criticado, inclusive por alguns dos seus familiares e pelos seus companheiros musicais que não tocavam nem cantavam sambas, por ser música de pretos. Noel responde às críticas, de conteúdo racista, com o clássico samba *Filosofia*:

O mundo me condena e ninguém tem pena

Falando sempre mal do meu nome

Deixando de saber se eu vou morrer de sede

Ou se vou morrer de fome (...)

O *Pelo Telefone* ficou esquecido por muito tempo. Em 1973, voltou ao sucesso com a gravação registrada no LP *Origens*. A música tem muitos versos e os escolhidos, colocados no final, foram estes:

Tomara que tu apanhes, pra nunca mais fazer isso

Roubar amores dos outros e depois fazer feitiço

O Peru me disse, se o Morcego visse, não fazer tolice

Que eu então saísse dessa esquisitice do disse-me-disse

Queres ou não, Sinhô, Sinhô

Vir pro cordão, Sinhô, Sinhô

Ser folião de coração

Porque este samba é de arrepiar

Põe perna bamba, mas faz gozar

CAPÍTULO XV

Improvisos entre músicos virtuosos são como uma conversa entre pessoas educadas. Enquanto um fala, os outros escutam e só intervêm quando o raciocínio é concluído. Da mesma forma os músicos atuam, com o detalhe de que fazem base para o solista executante. Um improvisador só inicia o seu solo no final da escala do outro.

CONVERSA MUSICAL

Dois casais sentiam prazer em estar juntos, conversar alegremente e de se comunicar por telefone, para comentar algo acontecido ou simplesmente conversar.

Quando o toque sonoro dos headphones soava (Oi, oi, oi! Oi, oi, oi! Oi, oi oi, oi, oi!) o aparelho era sempre atendido alegremente e, numa outra chamada, depois do "alô", um brado:

— Bom fim de tardeeee!

— Está feliz, hein!

— Muito. Dei uma volta de carro e acabo de redescobrir lugares interessantes. Que cidade mágica!

— É verdade. Eu, que nasci aqui, penso que conheço tudo, mas sempre descubro algo novo. É como nós, mulheres, somos surpreendentes.

— Nem só as mulheres, mas eu não discordo. Que bom você ter ligado! Estou sozinha e hoje ainda não falei com ninguém.

— Valeu. Eu também estou só. Ligo só para conversar um pouco.

— Gostaria de saber como foi a sua andança por esta cidade de gente apressada, alguns mal-educados impacientes nos congestionamentos. Má educação não se justifica, mas é compreensível. O trânsito é caótico.

— Nem dei bola para o trânsito, ouvindo música instrumental improvisada. Curto também músicas cantadas em discos bem produzidos, com bons arranjos, boas cantoras, bons intérpretes... No trajeto, gastei mais ou menos o tempo de um CD, ou melhor, de dois. Passeei ouvindo o Professor Paulo e o Rubinato, interpretados por diferentes vozes.

— Você ainda está no tempo do CD? Entramos na era digital, tudo se faz pelo celular.

— Eu sei, mas gosto do disco físico, de pegar, sentir nas pontas dos dedos. Dirigindo não dá, mas eu gosto de ouvir lendo as letras. Se um instrumentista se destaca ou se uma harmonização é magistral, pela ficha técnica eu posso saber os nomes do músico e do maestro. Da mesma forma com os jornais. Não gosto de os ler no computador. Mantenho o bom hábito de abri-los, dobrar... A impressão que eu tenho é de que as notícias estão nas minhas mãos.

— Cara, você está muito desatualizado. Hoje em dia, não se usa jornal nem para cachorro fazer xixi. Kkk! Voltando para o assunto música, quem é o melhor dos dois?

— Eles são compositores importantes da música popular, difícil dizer quem é o mais talentoso. Cada um tem seu estilo característico de compor.

— Que música você ouviu mais?

— *Tiro ao Álvaro*, do Rubinato. Bisei e trisei.

— Como é mesmo essa?

— Vou cantar com a minha voz feminina, tentando imitar a Pimentinha.

— Nem precisa fazer imitação. Cante normalmente. Sua voz é bem semelhante à do Matogrosso.

— Quem me dera ser ele! Igual ao Ney, meu ídolo, não há, mas lá vai:

De tanto levar/Frechada do teu olhar/Meu peito até/Parece sabe o quê?/Táuba de tiro ao Álvaro/Não tem mais onde furar//Teu olhar mata mais/Que bala de carabina/Que veneno estricnina/Que peixeira de baiano//Teu olhar mata mais/Que atropelamento/De automóvel/Mata mais/Que bala de revólver.

— Logo que começastes a cantar eu me lembrei, mas a minha favorita é *Apaga o Fogo Mané*.

— Escutei também, mas quero te ouvir com essa tua voz grave e agradável. Manda aí!

Ela relutou um pouco, ele pediu novamente, fez mais um elogio à voz dela e, depois de uma tossida de espantar pigarro, cantou lentamente, como se estivesse contando uma história:

Inez saiu dizendo que ia comprar um pavio pro lampião e

disse: "Pode me esperar, Mané, que eu já volto já". Acendi o fogão, botei a água pra esquentar e fui pro portão só pra ver Inez chegar. Anoiteceu e ela não voltou. Fui pra rua feito louco pra saber o que aconteceu. Procurei na central, procurei no hospital e no xadrez, andei a cidade inteira e não encontrei Inez. Voltei pra casa triste demais, pois o que Inez me fez, não se faz. No chão, bem perto do fogão, encontrei um papel escrito assim: "Pode apagar o fogo, Mané, que eu não volto mais".

— Mandastes bem. Há um samba, o *A Volta Por Cima*, do Professor Paulo, que parece ter sido feita em contrapartida, quer que eu cante?

— Esta eu não curto, embora, na leitura de alguns, haja o entendimento de que o samba versa sobre o tal "homem de moral" que levou uma queda, e que seja um sujeito que prefere se virar sozinho, como os punheteiros que não gostam de mão de mulher. Acham que não sabemos dirigir nem punhetar. É do estilo das composições do "mineiro machista de Miraí" que fez o samba horroroso *Ai, que saudade da Amélia*, aquela "que era mulher de verdade, não tinha a menor vaidade e achava bonito não ter o que comer".

— Cruzes! O mais espantoso é que o parceiro dele nesta canção era um jornalista, radialista, ator, poeta e comunista. Se fosse composta nos tempos atuais, o Mário Lago e o Ataulfo seriam massacrados pela internet e pouquíssimos internautas iriam defendê-lo.

— Caramba... Você respondeu a minha pergunta com um discurso feminista brabo. O que me diz daquele outro samba intitulado *Juízo Final*, referente ao último dia da vida? Certamente você conhece.

— Conheço sim, já o analisei. É genial, mas também não me agrada. Soa como piada de mau gosto. É a história de um cara que já morreu tarde e não sei como está no céu, numa boa, e se diverte ao ver uma ex-amada sofrendo no inferno, apenas porque lhe fez uma ingratidão. Para entrar no Reino de Deus, teria de tê-la perdoado, mesmo se tivesse levado um chifre.

— Desculpe-me, mas em se tratando de música e poesia, os criadores gozam do privilégio das "licenças poéticas" e as criações não devem ser julgadas, nem mesmo entendidas, o importante é sentir.

— Eu sei disso. Inclusive que qualquer música popular, com riqueza melódica, pode ser transformada em peça clássica. Se tiver uma história dramática, como o samba *Mãe Solteira* de Wilson Batista, pode virar ópera:

Hoje não tem ensaio, não/Na escola de samba/O morro está triste/E o pandeiro calado/Maria da Penha/A porta--bandeira/Ateou fogo às vestes/Por causa do namorado//O seu desespero/Foi por causa de um véu/Dizem que essas Marias/Não têm entrada no céu/Parecia uma tocha humana/ Rolando pela ribanceira/A pobre infeliz/Teve vergonha de ser mãe solteira.

— É, pensando bem, *Juízo Final* pode vir a ser uma peça clássica.

— Que bom! Finalmente poderemos chegar a um acordo. Agora, chega de papo. Sua conversa está me distraindo, mas alguém está batendo na porta. Um beijo e boa noite!

— Para você também.

CAPÍTULO XVI

Na África, em lugarejos onde não havia luz elétrica, como ainda não há em muitas áreas por lá, as famílias faziam uma pequena fogueira no terreiro das moradias e, para esperar o sono, ficavam conversando sobre os acontecimentos do dia e, assim, passavam ensinamentos contando histórias.

O PODER DA MÚSICA

Os meninos à volta da fogueira

Vão aprender coisas de sonho e de verdade

Vão perceber como se ganha uma bandeira

E vão saber o que custou a liberdade

Os *griots*, tema de uma conferência, foram bem definidos e explicados e, em uma palestra universitária, após as devidas saudações ao Reitor, aos professores e a todos os presentes, o palestrante assim se pronunciou:

— Eu já sou um octogenário e, certamente, o mais velho deste recinto. Portanto, posso me expressar como se fosse um *griot*. Esta palavra é sempre de referência aos negros que expõem seus pensamentos e passam, de bocas a ouvidos, suas experiências de vida. Mas o termo pode ser empregado também a brancos e pessoas de outros tons de pele, tomando como base um dos filósofos mais antigos, o grego Sócrates, que só empregava a fala, nunca escreveu seus conceitos. Eles foram escritos por Platão, seu discípulo. Sócrates só falava de si, de coisas terrenas, sem contestar as teses religiosas de vivência posterior, tais como céu, purgatório, inferno...

Meditando sobre a religiosidade católica, fico tendente a crer que o purgatório é onde vivemos e o inferno é a bola de fogo localizada no centro da terra, existência comprovada pelas aflorações vulcânicas e o céu é o infinito, reservado para os seres iluminados que, ao desencarnarem, viram luz influente e gozam de plena felicidade no firmamento.

Antes de ler sobre Sócrates, um compositor popular musicou um poema próprio que versa sobre a vida e, como o pensador grego, não se referiu a futuras vivências na sua música intitulada *Depois Não Sei*, em cuja letra ele diz que:

Surgi nadando na bolsa d'água e deu um choro quando nasceu. Mamou no peito, foi bem criança e já trabalhando adolesceu. Teve direito à felicidade e como todos também sofreu. Ficou adulto, já está maduro, foi muito amado, muito amou e que se Deus quiser, vai ficar bem velho.

Termina dizendo: "A morte é certa, depois não sei".

Uma outra canção criada por ele, *Eterna Paz*, leva a reflexões sobre espiritualidade e reencarnação. Em vez de declamar, o palestrante cantarolou:

Como é bom adormecer/Com a consciência tranquila/ As chuteiras penduradas/Depois do dever cumprido/Despertar num mundo livre/E despoluído/Onde tudo é só amor/ Coisas imateriais/Onde o medo não existe/Nem das reencarnações/Pois as purgações da terra/São pra se purificar/ E se tornar ser abstrato/Imaterializável/Até ser flor-luz que influi/Nas gerações//Sempre lutar pelas coisas que se acredita/Mas tem que ser luta bonita/De ideais comuns/Quem não for justo e honesto nas coisas que faz/Jamais será flor que flui/Pra viver na eterna paz/Jamais será luz que influi/ Pra vida na eterna paz.

Aplausos eclodiram, se prolongando. Com um gesto suave, o conferencista retomou sua fala sobre os *griots*, divididos em três categorias:

1 – Os primitivos: passavam seus conhecimentos de boca a ouvidos;

2 – Os modernos: usavam os sons, a música e a fala;

3 – Os pós-modernos: além dos sons, da música e da palavra, passam suas vivências através da escrita.

Na África, em lugarejos onde não havia luz elétrica, como ainda não há em muitas áreas por lá, as famílias faziam uma pequena fogueira no terreiro das moradias e, para esperar o sono, ficavam conversando sobre os acontecimentos do dia e, assim, passavam ensinamentos contando histórias. Isso ainda acontece. Os mais velhos fazem relatos do tempo do cativeiro, das lutas pela independência e das lamentáveis guerras civis, entre patrícios.

Tais conversas ocorrem à volta de fogueiras e são comuns as cantorias quase sempre voltadas para as crianças.

É emocionante uma cujo estribilho é "Xê menino, não fala política, não fala política, não fala política", batizada como *Velha Chica*:

Antigamente a Velha Chica vendia cola e gengibre/E lá pela tarde ela lavava a roupa/Do patrão importante// (...) E nós, os miúdos lá da escola/Perguntávamos à vovó Chica/Qual era a razão daquela pobreza/ Daquele nosso sofrimento/Ela sabia, mas não dizia a razão daquele sofrimento//(...) Mas quem vê agora o rosto daquela senhora/Já não vê as rugas do sofrimento//Ela agora só diz/Xê menino, posso morrer/Já vi Angola independente/Ê menino!/Não fala política, não fala política, não fala política!

Muito comovente também é a versão de uma outra canção angolana:

Os meninos à volta da fogueira/Vão aprender coisas de sonho e de verdade/Vão perceber como se ganha uma bandeira/E vão saber o que custou a liberdade//Palavras são palavras, não são trovas/Palavras deste tempo sempre novo/ Lá os meninos aprenderam coisas novas/E até já dizem que as estrelas são do povo//Aqui os homens permanecem lá no alto/Com suas contas engraçadas de somar/Não se aproxi-

mam das favelas nem dos campos/E têm medo de tudo que é popular//Mas os meninos deste continente novo/Hão de saber fazer história e ensinar.

Música tem grande poder transformador, penetra pelos ouvidos e atinge todos os sentidos, sendo que os tons maiores normalmente transmitem alegria, e os menores, sentimentos contidos, embora possam alegrar. Bom exemplo é o de um grupo de rapazes e moças muito jovens que fazem exercícios aeróbicos por cerca de uma hora e se sentem exaustos, enquanto outros, ao som de músicas ritmadas, terminam sem ofegar.

Outro é o de quem não consegue ficar pulando durante meia hora, mas é capaz de se remexer para cima e para baixo em uma boate por muito tempo, ou pular bastante em um bloco carnavalesco, numa boa.

É impressionante o que se passa com um grupamento de soldados que sai para uma marcha longa, equipados com vários apetrechos (fuzil, sabre, cantil, capacete de aço...) e carregando mochila: nos primeiros quilômetros, marcham bem, em silêncio e no mesmo compasso. Depois, começam a ralentar os passos, recebem ordens de assobiar e se animam. Mais ainda quando cantam trechos de hinos militares. Com o tempo, vão esmorecendo e então, ao ouvir os sons da banda de música, marcham garbosos.

Um exemplo incontestável é o do Diretor de Harmonia de uma escola de samba que teve a ideia de levar as senhoras da Ala das Baianas e os senhores da Velha Guarda ao sambódromo, para fazer o reconhecimento da pista caminhando, e eles, tanto como elas, chegaram ao final exauridos. Entretanto, no dia do desfile oficial, os velhinhos, fantasiados com trajes quentes de adereços nas cabeças, conduzidos pela bateria e cantando o samba enredo, gingaram sambando até a Praça da Apoteose, felizes.

A música tem, realmente, uma força energética mágica e exerce funções terapêuticas, cientificamente chamadas de "musicoterapia". Pode ser usada em um contexto clínico de tratamento efetuado individualmente ou em grupo, técnica usada por um psicólogo francês especializado no tratamento de crianças especiais, que empregava músicas ritmadas brasileiras, prioritariamente. O tal psicólogo conhecia muitos músicos nossos radicados na França, convidava alguns para visitar sua clínica e invitou o percursionista Naná Vasconcelos para ir tocar para crianças autistas.

No dia agendado, portando vários instrumentos, Naná foi fazer o show beneficente e, antes de se apresentar, foi informado de que, normalmente, os autistas não interagem no momento, mas que os sons produziriam um efeito posterior muito positivo.

As crianças foram colocadas em posição de semicírculo, umas de pé e outras sentadas, e Naná fez soar seus atabaques. Não houve reação. Tocou repenique, e nada. Tangeu o cincerro, depois o estridente agogô, e os petizes não deram a menor atenção. Os que se sensibilizaram foram os diretores da clínica, que manifestaram gratidão e garantiram que, embora não pareça, a exibição dele foi proveitosa e útil, pois os sons penetram pelos ouvidos e, com toda certeza, estavam atuando positivamente nos autistas.

Naná pediu para tocar mais um pouquinho, pulseou o berimbau, instrumento delicado, começou a tocar, gingando próximo da turminha. Aos poucos, os olhares dispersos se voltaram para ele, as crianças foram se acercando ao músico sorrindo e balançando os corpos. Alguns até bateram palmas.

Foi um dia de graça.

CAPÍTULO XVII

Rubinato nunca saiu do Brasil, e Paulo, conhecido internacionalmente como O Zoólogo, viu a luz do dia em 1913, ano de nascimento do cantor Ciro Monteiro. O radialista João veio ao mundo em 1910, ano do nascimento do compositor Noel Rosa.

O POETA RUBINATO E O PROFESSOR PAULO

João Rubinato e Paulo Emílio nasceram e morreram na "cidade dos bandeirantes". Só saíam de lá para cumprir seus afazeres. Rubinato nunca saiu do Brasil, e Paulo, conhecido internacionalmente como O Zoólogo, viu a luz do dia em 1913, ano de nascimento do cantor Ciro Monteiro. O radialista João veio ao mundo em 1910, ano do nascimento do compositor Noel Rosa.

O primeiro estudou pouco, trabalhou muito e, para se livrar dos serviços pesados, participou de programas de calouros de rádio, foi ator cômico em radionovelas e locutor. Tornou-se um compositor consagrado, é autor de vários clássicos da música popular, dentre os quais *Saudosa Maloca, Trem das Onze, O Enxadão da Obra...* Usava sempre uma linguagem simples e rica em termos poéticos, baseada no modo de falar dos naturais do interior do país, misturada com a pronúncia urbana.

Paulo Emílio compôs alguns grandes sucessos:

Ronda *(De noite eu rondo a cidade/A te procurar sem encontrar/No meio de olhares espio/Em todos os bares/Você não está//Volto pra casa abatida/Desencantada da vida/O sonho alegria me dá/Nele você está).*

Na Boca da Noite *(Cheguei na boca da noite, parti de madrugada/Eu não disse que ficava nem você perguntou nada/Na hora que eu ia indo, dormia tão descansada/Respiração tão macia, morena, nem parecia/Que a fronha estava molhada).*

Amor de Trapo e Farrapo *(Amor de trapo e farrapo/Tudo errado, mas tão gostoso/Que dá arrepio na espinha/Amor de galo de rinha/Amor de arranca toco, amor de louco contra louca/Ciúme fogo nos olhos/Beijo fogo na boca)*

Como o Poeta Rubinato, Professor Paulo se expressava propositadamente de maneira acaipirada, mas as suas letras eram rebuscadas. Muito culto, com 18 anos entrou para a Faculdade de Medicina, formou-se, mas nunca exerceu a profissão. Dedicou-se à Zoologia, doutorou-se no exterior. Cientista e boêmio, Professor Paulo, em um ano, dava aulas na USP, Universidade de São Paulo, durante seis meses. Depois, se enfurnava na Floresta Amazônica para fazer pesquisas e, no trimestre restante, passava as noites nos bares, bebendo, divertindo-se e fazendo músicas.

Os dois são catalogados entre os nossos principais compositores, sendo impossível dizer qual era o mais genial.

O fato mais coincidente é que ambos fizeram música com letra versando sobre o retrato de um amor, sendo um dramático e outro cômico. Vejam *Iracema*, do Poeta Rubinato:

Iracema, eu nunca mais que te vi

Iracema, meu grande amor foi embora

Chorei, eu chorei de dor porque

Iracema, meu grande amor foi você

Iracema, eu sempre dizia

Cuidado ao travessar essas ruas

Eu falava, mas você não me escutava, não

Iracema, você 'travessou contramão

E hoje ela vive lá no céu

E ela vive bem juntinho de nosso Senhor

De lembranças guardo somente

Suas meias e seus sapatos

Iracema, eu perdi o seu retrato

Nesta composição, ele demonstra ter saudade, sentir tristeza por ter perdido o retrato de um amor passado e termina a música com uma declamação lamentosa:

Iracema, fartavam vinte dias pro nosso casamento, que

nós ia casar. Você travessou a São João, veio um carro, te pega e te pincha no chão. Você foi para assistência, Iracema. O chofer não teve culpa, Iracema. Paciência, Iracema, paciência...

No samba de mesmo tema, o Professor Paulo, ao contrário, sente-se feliz por ter tido a carteira roubada, com a fotografia de uma mulher de olhos perseguidores como o olhar da Mona Lisa, da qual não conseguia se livrar. Um larápio roubou sua carteira com o retrato, e ele, nas entrelinhas, agradece ao gatuno por ter sido surrupiado:

Na praça Clóvis minha carteira foi batida

Tinha vinte e cinco cruzeiros e o teu retrato

Vinte e cinco, francamente, achei barato

Pra me livrar do meu atraso de vida

Eu já devia ter rasgado e não podia

Esse retrato cujo olhar me maltratava e perseguia

Um dia veio o lanceiro naquele aperto da praça

Vinte e cinco, francamente, foi de graça.

CAPÍTULO XVIII

Era uma vez um menino chamado Angenor de Oliveira, que nasceu no Catete, bairro do Rio de Janeiro, onde há um palácio que foi transformado, em 1897, em Sede do Governo Federal.

CHARADA

O que é, o que é, quem é uma "cabeça privilegiada" e um chapéu-coco?

Dica um: É adereço de um traje a rigor.

Dois: Voou de Laranjeira e pousou em Mangueira.

Três: Não jogava bola, mas participava dos jogos.

Quarta dica: uma historiazinha um pouquinho biográfica:

Era uma vez um menino chamado Angenor de Oliveira, que nasceu no Catete, bairro do Rio de Janeiro, onde há um palácio que foi transformado, em 1897, em sede do Governo Federal. O primeiro mandatário do Brasil a residir lá foi o Presidente Prudente de Morais, e o último, Juscelino Kubitschek, que transferiu a capital do Brasil para Brasília.

Sebastião Joaquim de Oliveira, pai do menino, tocava cavaquinho e este aprendeu o instrumento com o genitor.

Foi também com o pai, mestre de obras, que começou na profissão de pedreiro e, na infância, já era um trabalhador. Padeiro faz pão, costureiro faz roupas, barbeiro faz barba e barbeiragens, mas pedreiro não é quem faz pedra. É um trabalhador em construções. Também pintava paredes.

Certa vez, Angenor estava pintando um teto e respingou tinta na cabeça dele, que custou a sair. Daí, passou a usar uma toalha enrolada no quengo.

De outra feita, caiu-lhe um pedaço de reboco e, mesmo com a toalha, ainda doeu um pouquinho. A partir de então, ele trabalhava sempre com a cabeça coberta por um chapéu cilíndrico, de fundo alto, conhecido como chapéu coco, como o usado por Charles Chaplin, aquele humorista do cinema mudo. Para uns, dizia que o chapéu era para proteger a cabeça de poeira ou de respingo de tinta e, para outros, falava que era por segurança. Na época, trabalhadores não usavam capacete.

Muito antes, o menino foi transferido para Laranjeiras, bairro próximo ao Catete. A família vivia confortavelmente numa casinha alugada até que uma crise inflacionária assolou o país, com reflexo nas construtoras imobiliárias. Pai Joaquim praticamente ficou sem trabalho. Endividado, não conseguiu pagar o aluguel da casa e foi despejado.

Como é triste um despejo!... Um oficial de justiça chega com uma ordem judicial e determina que a família tem de sair em 48 horas. Sua mãe, Aída Gomes de Oliveira, foi encarregada por seu marido de vender tudo de pouco valor que tinham — fogão, geladeira, ventilador...

Joaquim saiu, a pé, de Laranjeiras até a Central do Brasil, com a mulher e o filho, levando apenas objetos pessoais. Pegou um trem e saltou na Estação Primeira, e foram morar no Morro da Mangueira, em um barraco.

O menino não estranhou a vida na favela. Muito simpático, fez amizades e participava como juiz de partidas de futebol que os moleques jogavam em um campo de terra no alto da favela. Tudo ia bem até que teve a sua primeira grande tristeza: ficou órfão de mãe, a D. Aída.

Passou a desentender-se com o pai e fugiu de casa. Perambulava pelo morro, dormia ao relento debaixo de uma mangueira, até ser adotado por uma jovem senhora, a Deolinda, pretíssima e linda, pela qual se apaixonou. Sua vida mudou, como diz o samba *Minha Festa*, de Nelson Cavaquinho:

Graças a Deus, minha vida mudou/Quem me viu, quem me vê, a tristeza acabou/Contigo aprendi a sorrir/Escondeste o pranto de quem sofreu tanto/Organizaste uma festa em mim/É por isso que eu canto assim.//La, lalaia laia, lalaia laia, lalaia laia, ia/La, lalaia laia, lalaia laia, lalaia laia.

O rapazinho não era muito de sambar, mas gostava de carnaval e saía no Bloco dos Sujos, junto com um amigo que não bebia, alcunhado de *Carlos Cachaça*. Carlos Moreira de Castro ganhou o apelido porque, quando ia a uma tendinha, se via um viciado em álcool, tentava livrá-lo do vício. Conseguiu recuperar muitos e os seus parentes, carinhosamente, o chamavam de *Carlos dos Cachaças*. Com ele, o nosso rapaz criou o Bloco dos Arengueiros, formado por uma turma bagunceira que o nosso personagem, com sua fala mansa, conseguia liderar. Falou com o amigo Carlos que deveriam acabar com o bloco e criar uma escola de samba, como fez o compositor Ismael Silva no bairro do

Estácio. Juntou um grupo de amigos para serem fundadores e sugeriu o nome Grêmio Recreativo Escola de Samba Estação Primeira de Mangueira, com os tons verde e rosa. Houve resistência quanto às cores. Uns diziam que elas não combinavam para as fantasias. Outros não gostaram porque todas as escolas tinham a cor branca e uma outra verde, vermelha ou azul...

Os fundadores, Seu Saturnino, Abelardo da Bolinha, Zé Espinguela, Seu Euclides, Marcelino Maçu e Pedro Paquetá não chegavam a um acordo, e Carlos Cachaça, que permanecia quieto, foi encarregado de decidir e determinou que as cores fossem verde e rosa.

Feliz, Angenor fez o samba *Verde Que Te Quero Rosa*:

São verdes, os campos, as matas e o corpo das mulatas/ Quando vestem verde e rosa, é Mangueira/É verde o mar que me banha a vida inteira//(...) Verde que te quero Rosa é a Mangueira/Rosa que te quero verde é a Mangueira.

Muitos sambistas foram prestigiar a nova agremiação carnavalesca, dentre os quais, Noel Rosa, o Poeta da Vila, de quem se tornou grande amigo e parceiro nas composições *Tenho Um Novo Amor*, gravada por Carmem Miranda, *Não Faz, Amor* e *Qual Foi o Mal Que Te Fiz*, interpretadas por Francisco Alves, O Rei da Voz. Outros cantores famosos lançaram as músicas do nosso personagem, dentre os quais Mário Reis, Aracy de Almeida e Sílvio Caldas.

Sem influência da música clássica, compôs sambas com conotações eruditas, o que chamou a atenção do maestro Heitor Villa-Lobos, que levou músicas dele para o produtor de discos e regente americano Leopold Stokowski, que percorria a América Latina recolhendo músicas nativas e Villa-Lobos ficou encarregado de formar um grupo de sambistas — entre eles, Donga, Pixinguinha, João da Baiana — para fazer algumas gravações a bordo do navio Uruguai, ancorado no píer da Praça Mauá no Rio de Janeiro.

Dos sambas que Cartola gravou com sua própria voz, *Quem Me Vê Sorrindo* saiu em um dos quatro discos de 78 RPM lançados, comercialmente, apenas nos Estados Unidos pela gravadora Columbia:

Quem me vê sorrindo/Pensa que estou alegre/O meu sorriso é por consolação/Porque sei conter/Para ninguém ver/O pranto do meu coração.

A E. S. Estação Primeira de Mangueira desfilou com alguns sambas seus e o samba de enredo mais conceituado é *O Vale do São*, uma obra-prima:

Não há neste mundo um cenário/Tão rico, tão vário/E com tanto esplendor nos montes/Onde jorram as fontes/ Que quadro sublime/De um santo pintor//Pergunta o poeta esquecido/Quem fez esta tela de riquezas mil?//Responde soberbo o campestre/Foi Deus, foi o Mestre/Quem fez meu Brasil!/Meu Brasil! Ô, meu Brasil!//E se vires poeta o vale, o vale do Rio/Em noite invernosa/Em noite de estio como um chão de prata/Riquezas estranhas espraiando belezas/Por entre montanhas que ficam e que passam/Em terras tão boas/ Pernambuco, Sergipe, majestosa Alagoas/E a Bahia lendária das mil catedrais/Terra do ouro de Tiradentes/Que é Minas Gerais.

A fama do compositor Angenor provocava inveja nos pares. Uma comissão encarregada de escolher o samba do desfile, formada por despeitados, desclassificou uma composição sua, o que o deixou muito magoado e triste. Teve vontade de abandonar a escola, mas não a deixou por esse motivo. A causa foi a sua segunda grande tristeza, o falecimento da sua amada Deolinda, ocasionado por um enfarte do miocárdio, morte diagnosticada como mal súbito. Deolinda era o único motivo da sua permanência na favela, e o sambista, desmotivado, desceu o morro sem destino. Tudo indica que foi morador de rua.

Despediu-se do morro, com o samba *Fiz Por Você o Que Pude:*

Todo o tempo que eu viver/Só me fascina você, Mangueira// Guerreei na juventude/Fiz por você o que pude, Mangueira//Continuam nossas lutas/Podam-se os galhos, colhem-se as frutas/E, outra vez se semeia//E no fim desse labor/Surge outro compositor/Com o mesmo sangue na veia.

Ficou sumido por alguns anos, vivendo de biscates, lavando carros... O humorista Stanislaw Ponte Preta o encontrou, noticiou e arranjou-lhe um emprego de contínuo no Jornal Diário de Notícias. Graças ao salário, passou a vestir-se com discreta elegância. Conheceu Euzébia Silva do Nascimento, quituteira e doceira, alegre e charmosa. A conquistou e foram morar na Rua da Carioca, no centro do Rio de Janeiro, onde montaram um bar musical, o Zicartola, que foi importante para a história do samba carioca.

O Zicartola tinha como atrações principais a comida caseira preparada por Dona Zica e temperada com os sambas do marido, e as exibições musicais nas quais brilhavam, entre outros bambas, Zé Kéti, Nelson Cavaquinho, Elton Medeiros, Ismael Silva, Clementina de Jesus,

Ciro Monteiro, Elizeth Cardoso, Aracy de Almeida, Hermínio Bello de Carvalho, João do Vale e o principiante Paulinho da Viola. Aracy Cortes era uma revelação da casa e, aos 63 anos, se destacava Clementina de Jesus, uma redescoberta do poeta Hermínio Bello de Carvalho, padrinho de casamento do casal empreendedor. Você, meu leitorzinho ou minha pequena leitora, após esta longa dica, certamente já sabe responder as perguntas "o que é e quem é?", certo?

Para quem, mesmo com tantas informações ainda não adivinhou, vou dar mais uma pista: a composição de maior sucesso do apelidado é *As Rosas Não Falam*, lançada pela cantora Beth Carvalho:

Bate outra vez/Com esperanças o meu coração/Pois já vai terminando o verão enfim//Volto ao jardim/Com a certeza que devo chorar/Pois bem sei que não queres voltar para mim//Queixo-me às rosas, mas que bobagem/As rosas não falam/Simplesmente as rosas exalam/O perfume que roubam de ti, ai...//Devias vir/Para ver os meus olhos tristonhos/ E, quem sabe, sonhava meus sonhos, por fim.

Dicas para matar a charada:

O menino nunca usou um traje a rigor. Gostava de laranja, mas plantou uma mangueira. Não gostava muito de jogar bola, mas apitava as peladas do alto do morro. O pintor de paredes, junto com O Poeta da Vila é um dos maiores compositores populares do Brasil. Ele ficou muito triste quando o amigo morreu e escreveu um samba declarando que ninguém se comparou a ele:

Eu quisera esquecer o passado/Eu quisera, mas sou obrigado/A lembrar o grande Noel/Ainda resta a cadeira vazia/ Da escola de filosofia/No bairro de Vila Isabel//Professores trilham seu caminho/Dentre eles destaco Martinho/Mas nem todos, nenhum, nem ninguém/A você se chegou/Eu também agora prossigo/Esse grande trabalho/Não sei se o baralho/Deu trunfos demais pra você/Nem cartas poucas para mim.

O Poeta da Vila dizia que o mais talentoso compositor que conheceu foi...

CHARADA MORTA:

Um: Cartola era o apelido do menino Angenor de Oliveira, de cuja cabeça saíam notas musicais.

Dois: Ele nunca usou traje a rigor, só a cartola, o adereço.

Três: Laranjeiras está em maiúscula porque é o nome

de um bairro do Rio, assim como Mangueira, que é uma comunidade, uma estação de trem e nome de uma escola de samba. A palavra "plantou" foi usada como sinônimo de fundou, criou...

Quatro: O Cartola era juiz nas peladas do campo de terra batida no alto do Morro da Mangueira.

CAPÍTULO
XIX

Quando foram consolidadas as Leis Trabalhistas, o salário-mínimo instituído era maior no Rio de Janeiro e em São Paulo do que nos demais estados e era menor ainda nas cidades interioranas. Por isso, muitas famílias se deslocaram do interior para a então capital federal, para o Rio. Os pais do personagem em evidência, Tereza de Jesus e Josué Ferreira, vieram para o Rio, e o irmão dele, casado com Isabel, foi para Sampa. Eram dois irmãos casados com duas irmãs e nunca mais se viram. Passados muitos anos, Heitor, um membro da Família Ferreira nascido em São Paulo, veio visitar os parentes na Cidade Maravilhosa. Foi um encontro hilário. O sotaque do Heitor causava risos e ele também ria da maneira de os cariocas falarem. Por exemplo, a palavra "porta", ele falava com a língua no céu da boca, nós a colocamos para baixo, e as pronúncias se diferem.

DAQUI PRA LÁ DE LÁ PRA CÁ

Não sei se vou, não sei se fico, se eu fico aqui, se eu fico lá... Se estou lá tenho que vir, se estou aqui eu tenho que voltar. Ó meu São Paulo, que progride tanto! Eu já te amo quase como o Rio porque tu sabes entender meu samba e eu já gosto de sentir teu frio. Em ti eu tenho um aliado certo na minha luta pra subsistir, mas lá eu vejo o sol nascer de perto e canto samba pra me divertir. Só a saudade é que me faz seguir estrada longa em dia de regresso. Vou lá pra Vila onde o samba é quente, vou ver a mina lá em Bom Sucesso, vou pra Pilares rever minha gente e depois eu volto correndo pra ti.

É um samba dramático para cariocas apaulistados e paulistas cariocados, indecisos se ficam ou se voltam. O compositor foi criado na Serra dos Pretos Forros, um antigo quilombo de escravos alforriados. A Boca do Mato, onde fica a serra, foi tema da Escola de Samba Estácio de Sá, que desfilou cantando uma composição de Nilo Mendes e Dario Marciano:

O negro na senzala cruciante/Olhando o céu pedia a todo instante/Em seu canto e lamentos de saudade/Apenas uma coisa, liberdade/Na região denominada Preto Forro/Lá na Serra do Mateus/Na Boca do Mato/Todo negro dono de sua liberdade/Na maior felicidade/Se dirigia para lá/Reunidos davam início à festança/Com pandeiros, tamborins, xexerês e ganzás//Oeô, oea/Saravá meu povo e salve todos os Orixás// Sob o clarão da lua e o fogo do lampião/A capoeira era jogada/Sempre ao som de um refrão:/"Você me chamou de moleque/Moleque é tu"//Rio Grande do Sul, seu folclore, sua gente/Também participaram desta festa diferente.

As danças folclóricas da "Terra de Getúlio Vargas" são emocionantes.

Quando o Presidente "Pai dos Pobres" instituiu as Leis Trabalhistas e aumentou o salário mínimo com um valor maior no Rio de Janeiro e em São Paulo, muitas famílias se deslocaram do interior para a então capital federal e para a pauliceia. Papai Josué e mamãe Tereza vieram para o Rio. O meu tio rumou-se para Sampa e os familiares nunca mais se viram. Passados muitos anos, um membro da Família Ferreira, o primo Heitor, nascido em São Paulo, veio visitar os parentes e o encontro foi hilário. O seu sotaque causava risos e ele, da mesma forma, ria da maneira de os cariocas falarem. Por exemplo, a palavra "porta" eles falam com a língua no céu da boca, nós a colocamos para baixo, e as pronúncias se diferem. Num tempo não muito remoto, o modo de falar do pessoal do interior do estado do Rio era bem diferenciada do jeito carioca, este com chiado nos "esses".

O autor de *Daqui Pra Lá De Lá Pra Cá* começou a carreira de compositor na extinta E. S. Aprendizes da Boca do Mato. Seu primeiro samba-enredo foi sobre a vida e as obras de Carlos Gomes:

Viemos contar a história/De um maestro cheio de glória/ Carlos Gomes o nome do Brasil elevou/Nasceu na cidade de Campinas/Aluno do seu genitor/Regente de orquestra e grande compositor/Partiu para Europa com apoio de Pedro Segundo/Empolgou no estrangeiro tornando-se famoso em todo mundo./A noite do Castelo, O escravo, O Guarani, sinfonias belas/Sinfonias belas/As mais lindas que eu ouvi.

Da Boca do Mato, foi para Vila Isabel e chegou com um samba de apresentação:

Boa noite, Vila Isabel/Quero brincar o carnaval na terra de Noel/Boa noite, diretor de bateria/Quero contar com sua marcação/Boa noite, sambistas e compositores/Presidentes e diretores/Pra Vila eu trago toda a minha inspiração/Quero acertar com o diretor de harmonia/E as pastoras o tom da minha melodia.

Na Vila, lançou diversos sambas de quadra, aqueles que são feitos para animar os ensaios. Dentre outros, *Grande Amor*:

Num grande amor/Sempre tem melancolia/Tem tristeza e alegria/Num mundo de ilusão//Num grande amor/Tem de tudo um bocadinho/Tem ternura, tem carinho/Tem castigo e tem perdão//Se o amor se esvai, saudade vem/Um novo amor virá também//Se alguém brincou, sorriu, cantou, feliz ficou//Se amou demais, perdeu a paz, chorou, chorou...

Parei na Sua (Menina eu parei na sua/Parei e vou me declarar/Eu fico no mundo da lua/Quando vejo você chegar/No samba é um atropelo/Malandro querendo lhe conquistar/Eu fico com uma dor de cotovelo/Morando no seu modo de sambar//Mas se você quer se dar bem, meninazinha/Para na minha que vai ter colher de chá/Dou um barraco pra você ser a rainha/E faço samba somente pra você cantar) foi o samba de maior sucesso na quadra...

No ano seguinte ao do seu ingresso na escola do bairro de Noel, a Unidos de Vila Isabel, fez um garboso desfile cantando *Carnaval de Ilusões*, criado em parceria com Amilton Gemeu:

Fantasia. Deusa dos Sonhos esteja presente nos devaneios de um inocente. Ó soberana das fascinações! Põe os seres do teu reino encantado desfilando para o povo deslumbrado, num carnaval de ilusões.

Na doce pausa dos folguedos infantis repousam a bola e a bonequinha querida. No turbilhão do carrossel da alegre vida, Morfeu embala a criança tão feliz que num sonho encantador viaja ao mundo das fabulações, terra da riqueza e do fulgor, de tanta beleza e do esplendor.

Guiadas pela fada ilusão se juntam lendárias figuras, personagens de leituras revividos na memória, que ajusta ao imperfeito a perfeição dos conceitos de deleitosas histórias. Neste clima extasiante o cortejo deslumbrante tudo envolve ao despertar, e ao mundo de verdade, sem saber da realidade, retorna o petiz a cantar: Ciranda, cirandinha, vamos todos cirandar. Vamos dar a meia volta, volta e meia vamos dar.

A sua estreia como artista foi em 1967 em São Paulo, no Terceiro Festival da MPB, cantando o partido alto *Menina Moça*, música simples de rimas primárias:

Menina moça vai passear/Quer rapazinho pra acompanhar/Tá passeando, já quer flertar/Quem tá flertando, quer namorar//Tá namorando, já quer noivar/E se está noiva, quer se casar//Se está casada, só quer brigar/E quem brigando, quer desquitar//Tá desquitada, quer se amigar/Tá amigada, quer separar/Tá separada, não quer amar/Não tá amando, só quer chorar.

Antes, havia visitado a cidade em viagem de passeio com a namorada Anália, por volta do meado dos anos sessenta, quando as cidades eram muito diferentes nos gostos e costumes, com características próprias.

No ano seguinte, apresentou-se no mesmo festival com *Casa de Bamba*, uma mistura de partido alto com samba de roda. Fez grande sucesso na Parada Musical Paulista e só depois entrou para a Parada Carioca. O cantor vivia transitando de lá para cá e construiu várias amizades, dentre as quais, Renato Teixeira, Chico Maranhão, Elifas Andreato, Marcus Pereira, Walter Silva (radialista conhecido como *Pica-Pau*), Fernando Faro... Frequentava as pequenas casas noturnas com música ao vivo: Jogral, Igrejinha, Terceiro Whisky... Depois de acontecer no Rio e em São Paulo, "estourou no Norte", como se dizia. Muito solicitado para fazer shows na região Nordeste, depois das apresentações, permanecia uns dias por lá. Pegou gosto pelas comidas típicas, apreciava muito buchada de bode, baião de dois, caranguejada, paçoca de carne, caruru, galinha à cabidela, sarapatel e carne de sol com manteiga de garrafa.

Notou que o custo de vida lá é bem mais barato, principalmente a alimentação, e pensou em ir morar em Jaboatão dos Guararapes, onde ganhou um Título de Cidadão Jaboatonense por ter feito o samba-enredo *Onde o Brasil Aprendeu a Liberdade*, com o qual a Unidos de Vila Isabel fez um belo desfile:

Aprendeu-se a liberdade combatendo em Guararapes. Entre flechas e tacapes, facas, fuzis e canhões, brasileiros irmanados sem senhores, sem senzala e a Senhora dos Prazeres transformando pedra em bala. Bom Nassau já foi embora. Fez-se a revolução e a festa da Pitomba é a reconstituição. Jangadas ao mar pra buscar lagosta pra levar pra festa em Jaboatão. Vamos preparar lindos mamulengos pra comemorar a libertação. E lá vem maracatu, bumba-meu-boi, vaquejada, cantorias e fandangos, maculelê, marujada... Cirandeiro, cirandeiro! Sua hora é chegada. Vem cantar esta ciranda pois a roda está formada. Ó cirandeiro! Cirandeiro, ó. A pedra do seu anel brilha mais do que o sol.

O projeto de se mudar para Pernambuco se esvaiu. O motivo maior foi por ter de deixar a sua escola de coração, os amigos e os botequins, entre estes o Petisco da Vila. A opinião negativa dos familiares também influenciou muito. Disse que ia, não foi e fez o samba *Vai ou Não Vai*:

Eu não vou porque eu não sou de ir. Meu negócio foi sempre ficar, mas não sou de ficar só aqui, fico aqui e acolá. Meu coração é sul-americano, mas eu tenho os meus pés no além-mar. Se tiver que ir, vou pro Nordeste me banhar em João Pessoa, dar um cheiro na paraibinha, feminina sim sinhô, muito meiga, muito boa, toda cheia de amor. Minha alma só quer voar nas asas da gaivota. Minha amiga é uma estrela, meu amigo é um qualquer. Uma bíblia é Fernão Capelo, minha deusa é uma mulher. Eu sou um cidadão pernambucano da cidade de Jaboatão. Bibarrense do Rio de Janeiro, não preciso de autoafirmação. Já passei da idade de Cristo, já estou na idade da razão. Meu negócio é um samba merengado, butiquim e batida de limão.

CAPÍTULO XX

Durante sete anos, entre 1725 e 1732, o Rio de Janeiro foi governado por um capitão autoritário, temperamental e retrógrado, como um milico da mesma patente do que foi eleito, de maneira inusitada, para presidir um país que é um dos maiores do mundo em extensão e ganhou várias alcunhas, "Bozo" inclusive.

FERIADO PROLONGADO

O telefone toca.

— Oi! Tudo bem?

— Nossa! Como sabe que sou eu?

— Lembra-se de vocês terem me dito que instalaram um toque especial para identificar que uma de nós está ligando? Fizemos o mesmo com o seu número.

— Que legal! É realmente uma boa medida. Fiz isso porque telefone hoje é um problema. Todo mundo tem, o que é bom, pois já foi uma regalia de somente alguns, mas dada a facilidade atual, quase todos possuem e as pessoas ligam muito e falam em demasia.

— É *memo*. A invenção do inglês *Gran Bell*, dito como "grande e belo", era um bem precioso "no tempo do Onça".

— Tempo do Onça?

— É um chavão popular. Durante sete anos, entre 1725 e 1732, o Rio de Janeiro foi governado por um capitão autoritário, temperamental e retrógrado, como um milico da mesma patente do que foi eleito, de maneira inusitada, para presidir um país que é um dos maiores do mundo em extensão e ganhou várias alcunhas, "Bozo" inclusive. O apelido do primeiro citado era Onça. Tornou-se lendário, marcou época e, até hoje quando alguém quer se referir a uma coisa antiga e antiquada, usa a expressão relativa à alcunha. No futuro, ao nos referirmos à época atual, poderemos dizer: no tempo do Bozo...

Voltando a falar do telefone, possuir um foi grande privilégio, mas hoje não. Existem até moradores de rua com esses telefones móveis.

— Realmente. Não conheço alguém que não tenha um celular. O aparelho facilita a vida, pois, com ele, se resolvem problemas sem sair de casa. Entretanto, é problemático. Fiz uma pesquisa sobre os prejuízos causados à saúde e fiquei apavorado. Especialistas dizem que são cada vez mais comuns os casos de "*Text neck syndrome*", "Síndrome do pescoço de texto", em tradução livre: dores na cabeça ligadas a tensões na nuca e no pescoço, causadas pelo tempo inclinado em uma posição indevida para visualizar a tela do celular. Também problemas de visão, coluna, tendinite, dores nos braços e nos ombros...

— Melhor mudar de assunto e voltar a falar do "tempo do Onça", época em que não havia telefones móveis e todos os fixos eram pretos, dispendiosos e de difícil aquisição. Mesmo para quem tinha dinheiro, havia um longo tempo de espera do telegrama avisando sobre o dia da assinatura do contrato de compra.

— É verdade. Lembro-me do meu pai ter acertado uma centena no jogo do bicho e ficado indeciso sobre se comprava um carro popular ou um telefone. Ele ganhou mais ou menos o correspondente a trinta e poucos mil "dinheiros". Falo assim, porque a nossa moeda já mudou de nome muitas vezes. Sempre que a inflação galopava para as alturas, cortava-se os zeros e trocava-se o nome. Foi Real no tempo do Réis, depois Cruzeiro, Cruzeiro Novo, Cruzado e Cruzado novamente. Real é a segunda vez.

— Nem me lembrava mais disso, mas diga-me, o que o seu pai fez com o dinheiro ganho?

— Decidiu-se pelo telefone e se arrependeu porque minha mãe falava nele demais e os pulsos eram caros naquele tempo. Hoje, quase todos têm celular, também um pouco dispendiosos, mesmo assim as pessoas ligam abordando assuntos sem importância e falam em demasia, sem se tocar que, na maioria das vezes, incomodam. O celular, ou melhor, o iPhone, passou a ser uma obsessão, uma neura, com efeitos danosos à saúde.

— Tens razão. Nós arranjamos uma forma de selecionar. Deixamos sempre no vibrador. Se não deixam recado na secretária eletrônica, não retornamos, pois é indício de que nos querem deixar numa saia justa.

— Saia justa?

— Sim. É o que se diz quando alguém quer nos colocar em uma situação embaraçosa. Os incomodantes não adiantam o assunto. Querem falar diretamente, o que indica a colocação de um pedido que não devemos atender e ficam tentando conseguir. Insistem, insistem e insistem. É muito desagradável dizer não, não e não.

— Por isso é que eu tenho dois aparelhos celulares. Um só reservado para assuntos de trabalho e só neste eu tenho o WhatsApp.

— O uso compulsivo deste aplicativo prejudica as relações sociais. É uma conversa fria, calculada. Falando-se na forma voz-ouvido, dá para se perceber até a emoção de quem fala e a respiração do que ouve.

— O Face Time é legal, olhos nos olhos. Mesmo assim, é bem diferente da comunicação pessoal.

— Concordo. Entretanto, estamos metendo as bocas nos que falam muito por telefone, já divagamos bastante e não me dissestes por que ligastes. Alguma novidade?

— É sempre um prazer falar contigo, mas eu estou retornando uma ligação da Conceição. Ela está aí?

— Não, Deolindo, mas estou inteirada do assunto e posso adiantar. Nós combinamos de passar o próximo fim de semana juntos naquela cidade de nome indígena, recorda-se? Seria muito bom, mas mudamos de ideia. Não será confortável. Como em todos os feriados que caem em uma sexta-feira ou segunda, o trânsito vai ficar conturbado. Muita gente vai "enforcar" um dia de trabalho para prolongar as folgas e viajar para aproveitar o feriadão.

— Ih! É mesmo, Genoveva. Será destino de gente de todo canto. As praias vão estar lotadas e o comércio também, com filas nos restaurantes.

— Que tal aquela cidade, aconchegante e encantadora, que tem tanto a ver conosco?

— Seria bom. Lá nos conhecemos e nos reencontramos, mas dará quase no mesmo. Pegar qualquer estrada vai ser um suplício. O melhor é ficarmos em nossas casas ou nos juntarmos para papear, ouvir música, petiscar e bebericar. Pode ser aqui. Eu tenho um vinho especial que ganhei no meu aniversário e ainda não abri. Estou guardando para degustarmos em conjunto.

Eles praticavam o bom hábito de parar para ouvir música. Conceição tinha uma boa seleção de música popular brasileira. Nogueira também possui uma coleção de LPs variados, que ouviam em sua vitrola com modernas caixas de som.

Como de costume, juntavam-se para audições e teciam comentários sobre a produção, os arranjos orquestrais, as vozes dos vocalistas e do cantor, as melodias, letras poéticas... Este tempo acabou. Não se ouve mais um disco inteiro. Os artistas gravam um EP com duas músicas. Alguns, talvez por questão de economia, produzem só uma, lançam nas redes sociais e ficam torcendo para que haja acessos, muitos e muitos, o que se chama de "viralizar". Para isso, não basta a música ser boa e o vídeo bonito. É fundamental conter algo chocante ou discutível que chame muito a atenção. As mulheres têm uma arma poderosa, o corpo. As cantoras do padrão *boazuda* levam vantagem, as gordas e magricelas dão seu jeito de atrair, e as do padrão universal capricham nos trejeitos. E existem outras formas de angariar acessos...

Dito isto, voltemos aos diálogos de Deolindo com Genoveva:

— Vamos degustar o seu bom vinho aí ou aqui?

— Melhor aí. Aqui, em Pinheiros, seria bom se quiséssemos badalar. Este meu bairro é conhecido por seus cafés descolados, galerias modernas de arte, bistrôs modernos e pequenos restaurantes com cardápios criativos.

— Por que está se gabando tanto? Se o caso é se gabar, aqui no Bexiga ficam alguns dos bares alternativos mais descolados da cidade. Também casas noturnas locais com hip-hop, música eletrônica de vanguarda, salsa... Sem falar em uma tradicional escola de samba campeã de muitos carnavais. E há lugares com música ao vivo, bares com cadeiras nas calçadas...

— Vamos ao que nos interessa. Chegaremos com alguns petiscos. Além do vinho, levaremos pães, queijos e presunto defumado.

— Oba! Não vamos ter de nos preocupar com nada.

— Engano seu. Nos comportaremos como visitantes ilustres. Vocês vão ter que nos servir. E tratem de dar um jeito nesse apartamento, sempre bagunçado.

— Capricharemos. Até mais tarde!

CAPÍTULO XXI

Aninha tinha outras virtudes admiráveis, como a voz macia que jamais se alterava. De pouca fala, ao se expressar todos paravam pra ouvir as palavras, que saíam suaves da boca de lábios carnudos e alvos dentes. E que sorriso!

CRIME PASSIONAL

Nas conversas preparatórias para o casamento, querendo saber mais coisas sobre a família do noivo, antes de fazer perguntas, disse que conheceu um irmão dele e quis saber se havia mais algum.

— Tenho. Não nos vemos há muito tempo. Ele tem corpo de mulher.

— Este foi o que conheci. Há outro ou outra?

— Talvez. Tive um que viajou para um lugar indefinido, sumiu. Deve ter morrido.

Instantaneamente a noiva pensou em doenças genéticas.

— Sumiu, por quê?

— É uma história longa. Não gosto de contar.

— Acontece que eu mereço saber. Vou ser sua mulher, provavelmente a mãe dos seus filhos.

Neste momento, chegou a mãe dela, aproximou-se e ele, cochichando, disse que depois contaria a história, que é a seguinte:

O irmão do namorado, médico clínico, tinha um amigo cirurgião, mais que amigo, amicíssimo, que era diretor de um moderno hospital e membro da Academia de Medicina. Andavam muito juntos.

O futuro cunhado era muito comunicativo, sedutor, tinha uma namorada fixa e algumas namoradinhas esporádicas.

O cirurgião era casado com Emília, uma bela mulher. Aos domingos, os dois amigos se encontravam para disputar partidas de tênis, no clube em que eram sócios e, vez ou outra, jantavam em algum restaurante, um em companhia da esposa e o outro com a sua namorada constante.

Algumas vezes, o jantar era na casa do Euclidiano, o cirurgião.

Aninha, a namorada predileta de Dilermando, era muito simpática. De tez morena clara, olhos esverdeados, longos cabelos encaracolados, alta, esguia e com as saliências do corpo bem proporcionais, com pequeno destaque para os seios e os glúteos. Beirava os trinta, com aparência de ter idade inferior. Tais atributos eram quase sempre elogiados pelo Dr. Euclidiano, o que provocava uma nesga de ciúme na esposa, sentimento imperceptível.

Aninha tinha outras virtudes admiráveis, como a voz macia que jamais se alterava. De pouca fala, ao se expressar todos paravam pra ouvir as palavras, que saíam suaves da boca de lábios carnudos e alvos dentes. E que sorriso!

Nas conversas, durante os *drinks* anteriores ao jantar, procurava sempre ficar ao lado da dona da casa e, solícita, ajudava esta a montar a mesa e servir a comida.

Um dia, ao descer a escada rolante de um shopping, levou um tombo, rolou pelos degraus, quebrou a clavícula e, por capricho do mau destino, foi operada pelo Euclidiano, famoso ortopedista.

Certa noite, em uma briguinha de marido e mulher, Dona Emília exigiu que o marido jurasse que não teve nenhum envolvimento com a paciente e ele respondeu que não ia jurar porque tinha palavra honrada e isso deveria bastar. A discussão tomou outro rumo, eles dormiram de costas um para o outro e, a partir deste dia, a fogosa Dona Emília ficou morna. Ele deixou de procurá-la no leito e não mais transaram, apesar de muito se amarem.

Dilermando e Euclidiano, terminadas a costumeiras partidas de tênis, que jogavam aos sábados e domingos, passaram a ficar mais tempo tomando uma cervejinha no bar do clube e, cumprindo a rotina, jantaram em um restaurante, porém com uma diferença: sem as mulheres.

Euclidiano contou da sua briga com Emília, cujo pivô foi Aninha, e Dilermando, embora crendo que não havia nada entre ele e sua namorada, não quis mais saber dela.

Pasmem! E preparem-se para um desfecho que lembra "A tragédia da Piedade".

Euclidiano viajou para o exterior para participar de um seminário de ortopedia, e Dilermando, que havia se tornado amante de Emília, durante a ausência do marido, ia dormir com ela, até que um vizinho bisbilhoteiro os delatou.

O traído, ao encontrar-se com o amigo, agora rival, comportou-se com normalidade. Mentiu que tinha trazido uma lembrancinha para ele da viagem, mas que a tinha esquecido. Convidou-o para ir em sua casa pegar o presente:

— Vamos! Eu trouxe um vinho tinto top de linha, gostaria de tomá-lo com você.

— Não vai dar. Eu tenho um compromisso para o almoço.

— Poxa! Vai me deixar sorver sozinho?

— É que eu já marquei e...

— Nem complete a frase. Se não aceitar ficarei magoado. Aliás, já estou.

— Convenceu-me. Vou, mas não posso demorar. Ok?

— Oba! Você vai ter uma bela surpresa.

Aberta a garrafa, brindaram, beberam... Dilermando perguntou pela Emília.

— Ela pegou um resfriado, está recolhida. Quer vê-la?

— Não. Melhor deixá-la se recuperar.

— Vem comigo! Se estiver dormindo, dá só uma olhadinha.

Que imagem horrenda! Emília ensanguentada com o rosto deformado.

Dilermando não teve tempo nem de se recuperar do susto. Euclidiano sacou um revólver e deu-lhe dois tiros espaçados. O primeiro na perna, o segundo no ombro. Caído, tomou um terceiro na testa, o de misericórdia.

CAPÍTULO XXII

Esperou ela distrair-se, pegou sua pistola, lotou os bolsos de munição, saiu de carro, parou na Ponte Rio-–Niterói e mandou uma mensagem lacônica para a esposa pelo WhatsApp: "Adeus, Amor".

O MORTO VIVO

Proprietário de fazenda no interior do Estado e de um restaurante, com duas casas no centro da cidade, alugadas, além de um apartamento vazio na Zona Sul e outro na Oeste com condomínio e impostos atrasados. Recebeu uma intimação judicial para quitar e apavorou-se.

Comerciante bem-sucedido, estava endividado e andava um tanto deprimido, com aparência de morto-vivo.

Suas dívidas não eram superiores aos seus bens. Poderia vender um ou dois imóveis não lucrativos e quitá-las, mas ele, assim como sua mulher, era muito afeiçoado ao que possuíam.

Além das dívidas, havia outro grande problema: a amante. Não tão bonita como a esposa, e uns anos mais velha do que ela, era muito mais sexy e sabia fazê-lo vibrar com seus toques eróticos.

Ao contrário, a esposa não era muito dada no sexo. Só fazia o trivial, de tempos em tempos, e, na maioria das vezes, manual. Anal e oral, jamais.

Fora isso, era esposa perfeita: cozinhava maravilhosamente, cuidava dele como se fosse mãe. A convivência entre eles era harmoniosa, sem grandes emoções e com Joselina, a amante, era só alegria, vibração e prazer. Uma questão começou quando passaram a se amar além do carnal e até a sonhar em morar juntos.

Antes, ele não tinha ciúmes dela, nem mesmo ao saber que sua companhia na praia era um amigo de corpo malhado. Ela também não se incomodava se, em um fim de semana, ele dissesse que não poderiam se encontrar com ela porque iria viajar com "a de casa".

Isso mudou quando ficaram mais apegados e ela ciumenta e exigente.

— Amor, não consigo mais viver sem você!

— Ah! Se eu pudesse dormia e acordava ao seu lado, mas amanhã mesmo eu vou ter de me ausentar por uns dias.

— Vai viajar de novo com a sem graça?

— Vou sozinho pra fazenda, ver como andam as coisas. Diz um ditado que o gado só engorda se tiver o olhar do dono.

— Gostaria de ir com você. Leve-me, amor.

Falou toda dengosa e ele acedeu.

A urbana se encantou com a propriedade e, efusiva, cobriu-o de beijos. Com seu jeitinho irresistível, levou-o a banhar-se numa pequena cachoeira, coisa que jamais fizera.

Aproximava-se a hora da partida. Enquanto o homem juntava os pertences, na cabeça sonhadora da amante passeava o sonho declarado de morarem juntos. Fez biquinho que nem criança, disse que não queria voltar e falou, choramingona, que seria muito feliz se ficassem lá e ele fosse só dela.

Coitado! Gostava de atender a todos os desejos da amante muito amada, sentiu o coração pulsar mais forte, abriu os olhos para uma árvore florida como se pedisse a opinião das flores. Acabrunhado, lamentou não poder.

Contrariada, bateu os pés, esperneou e chorou como criança. Paciente, conseguiu acalmá-la. Acordaram que ela ficaria e ele iria à casa combinar a separação. Antes de sair, recomendou que a cozinheira, companheira do caseiro, a atendesse no que fosse necessário.

Regressou decidido, mas ao deparar-se com a esposa, cadê a coragem?

Profunda conhecedora do marido, notou que ele queria dizer-lhe alguma coisa, perguntou e ouviu a mentira de que havia vendido a fazenda e que pretendia se desfazer de todos os seus imóveis para pagar as dívidas e, com o dinheiro que sobrasse, aplicaria na bolsa de valores. A mulher, que não era muito de gracejos, gracejou:

— Investir na bolsa é comprar valises femininas de marca: Louis Vuitton, Gucci, Chanel, Prada ou Christian Dior. Apostar na Bolsa de valores é um jogo que você não sabe jogar, meu filhinho.

Revidou ironicamente:

— Pretendi lhe dar uma da Chanel como presente de aniversário, mas desisti, mãezinha, porque você não saberia usar.

Sorriram. O riso dele, gozador, e o dela, sarcástico.

Durante o almoço, calado e encolhido, a mulher observou a sua expressão de desânimo depressivo e tentou reanimá-lo:

— Que cara é essa, marido? Esquece tudo e se liga em mim, no meu amor, nos nossos filhos queridos...

— Estou pensando nas decisões a tomar. Com exceção da fazenda, que já fechei o negócio, não vou vender mais nada. Tudo que eu tenho é seu.

— Por mim, você pode se desfazer do que quiser e aplicar, contanto que fique feliz.

Desconversou:

— Eu sou mais velho e, logicamente, vou pro espaço sideral antes de você.

— Cruz-credo! Vamos mudar de assunto. Ultimamente você tem falado muito em morte. Sabe bem que eu estarei sempre a seu lado até que ela nos separe.

Encurralado, ou melhor, perdido em uma encruzilhada, sem saber o rumo a seguir, pensou em suicídio.

Esperou ela distrair-se, pegou sua pistola, lotou os bolsos de munição, saiu de carro, parou na Ponte Rio–Niterói e mandou uma mensagem lacônica para a esposa pelo WhatsApp: "Adeus, Amor".

Em seguida, ela recebeu uma ligação não identificada, avisando que ele havia pulado da Ponte Rio–Niterói. O *Chevrolet* velho foi encontrado no vão central, com a porta aberta.

Por ser empresário bastante conhecido, o suicídio foi noticiado nas rádios, com repercussão em redes sociais.

Buscas foram feitas e o corpo não apareceu. O chefe do Serviço de Buscas e Salvamentos da Marinha abriu um inquérito e descobriu que ele saiu de casa levando pistola automática calibre .380 e havia levado todas as munições, assim, os investigadores chegaram à conclusão de que, provavelmente, o homem devia ter mergulhado portando a pistola pesada no coldre com os projéteis nos bolsos e, talvez, outras coisas que impedem a emersão.

Ledo engano:

Ocorreu uma simulação. Para a encenação, chamou um Uber e seguiu com ele para a fazenda, deixando o seu carro com o motor ligado e a chave na ignição.

Ao deparar-se com ele, o caseiro se assustou, pois ouviu em uma rádio a notícia da sua morte.

A futura companheira marital não deu crédito ao noticiário. Apenas estava um pouco apreensiva porque vasculhou a internet e não viu nenhum desmentido.

Ao vê-lo, ficou saltitante e pulou pra cima dele enlaçando o pescoço. Jogada na cama, entregou-se a libidinosas carícias, sensível e sorridente.

A esposa, ao contrário, ficou em estado de choque a ponto de ter de ser medicada e tomar calmantes. Órfã de pai e mãe, nas ocasiões do falecimento destes, sentiu o gosto amargo da perda, agora o do abandono. O óbito por suicídio julgou covarde, o pesar deu lugar à decepção.

O tempo esvai todas as tristezas. Restabelecida, contratou uma empresa imobiliária para negociar os bens. Apressada para se livrar de tudo, aceitaria qualquer oferta, mas o corretor não concordava, pensando nas comissões. Mais de uma vez por dia, cobrava resultados, sem se alterar. Quando irritada, provocava irritação e discutiam.

Fechada a primeira venda, compareceu, pessoalmente, para prestar contas e ganhou o sorriso preso há meses.

— Vou dar tudo para os meus velhos sogros, únicos parentes, e me mudar pra casa deles. A solidão é triste.

— Antes da próxima venda, posso vir fazer companhia, conversar. Sem cobranças, né?

— Venha quando quiser. Avise antes pra eu me preparar, fazer uma broa de milho pra gente comer enquanto bebe um café fresquinho.

A "viúva" se restabeleceu com rapidez, contratou uma empresa imobiliária para vender os bens e se apaixonou pelo corretor.

O vivo morto e a nova fazendeira viviam a vida que pediram a Deus, enfurnados na propriedade de onde não saíam. Ele tinha medo de ser reconhecido, embora, devido às atividades da roça, estava bem diferente: bronzeado pelo sol e com algumas rugas na testa. Antes, fazia a barba todos os dias e, agora, estava com a face coberta de pelos. Vez ou outra, o morto vivo se lembrava da antiga companheira, quase mãe, e até sentia uma saudadezinha.

Numa bela tarde, madornado na costumeira sesta, ouviu um chamado do capataz, seguido da informação de que um homem, com modo de falar e jeito de policial, estava procurando-o.

Era um oficial de justiça. Não acostumado a receber visitas, de orelha em pé, atendeu e recebeu outra intimação judicial.

Tremeu na base, abriu o envelope abruptamente e sorriu.

Que felicidade! Era um pedido de divórcio.

CAPÍTULO XXIII

Atônita, Marietta, com esforço, recuperou-se e ligou para um médico colega dele, residente nas proximidades, que prontamente a socorreu. O psiquiatra tentou acalmá-lo, não conseguiu e chamou uma ambulância.

O MALUCO BELEZA

Maquiel, rapaz bonito como um fidalgo filho de rei, quase herdou o nome do filósofo autor do livro *O Príncipe*. No período escolar, era o sonho de benquerer das estudantes. As moçoilas ficavam loucas por ele que, maquiavelicamente, as engambelava dando uns beijinhos numas e noutras. Na Faculdade de Medicina Psiquiátrica, como no colégio, era disputado pelas universitárias, contenda vencida por uma louríssima, descendente de família francesa da Córsega. Encantou-se por ela e fizeram as juras matrimoniais em uma pomposa cerimônia.

Marietta tornou-se médica psicoterapeuta, trabalhava numa grande clínica psiquiátrica e ele, também psicólogo junguiano, atendia seus pacientes no seu próprio escritório.

Certo dia, a mulher ficou de plantão na clínica e, por estar tudo muito calmo, resolveu passar a responsabilidade para a sua assistente e ir dormir em casa.

Dentro, o silêncio era total. Aguçou os ouvidos, percebeu uns ruídos vindos dos fundos e deparou-se com uma surpreendente cena, inusitada: o marido completamente nu no quarto da Eliete, a empregada doméstica.

Maquiel, assustado, soltou um urro daqueles do Tarzan e ficou pulando como um macaco, xingando a empregada de puta e a mulher de vagabunda. Não parava de pular de um lado para outro como um louco, urrando.

Atônita, Marietta, com esforço, recuperou-se e ligou para um médico colega dele, residente nas proximidades, que prontamente a socorreu. O psiquiatra tentou acalmá-lo, não conseguiu e chamou uma ambulância. Dois homens fortes o imobilizaram, o médico aplicou um injetável chamado popularmente de *sossega-leão*, meteram-no numa camisa de força e o enlouquecido assim foi conduzido ao hospital.

Ao acordar, a camisa foi desatada com cautela, bebeu água e contou para o colega médico o acontecido:

— Eu entrei no quarto da empregada, ela estava dormindo. Tirei a minha roupa, ia aconchegar-me e a minha mulher apareceu. A saída que encontrei foi dar uma de louco. Foi tudo encenação, acredite.

— É... Pode ser, mas você estava muito agitado e com todos os sintomas. Vou ter de mantê-lo em observação.

— Este é o procedimento normal, tenho de acatar, mas se fizer uma reflexão, vai concluir que eu me entreguei facilmente à imobilização, relaxei o braço para tomar a injeção e não dei nenhum trabalho para a colocação da camisa de força.

— Caramba! Convivemos há tanto tempo e nunca soube que você é um grande ator. O que vai aprontar quando chegar em casa?

— Já planejei. Para tudo dar certo, eu vou precisar de ajuda. Peço que diga para a Marietta que eu estou curado, mas, de sequela, fiquei com um tipo de amnésia que não me permite lembrar de fatos recentes, só dos antigos, e que ela não deve tocar no assunto do ocorrido comigo porque posso ter uma recaída. É psicoterapeuta e vai entender.

— Caramba de novo! Além de ator, você é maquiavélico. O seu pai, ao lhe registrar com o nome Maquiel, estava tendo uma premonição.

— Por favor, me ajude. Eu amo a minha mulher. O que fiz foi um ato impensado.

O colega se comportou como o planejado e tudo ficou bem.

A mulher pensou em dispensar a empregada, mas resolveu conversar, exigindo, apenas, satisfações, pois a doméstica era tratada como se fosse da família.

— Desculpe, mas creio que ele foi lá porque você andou se insinuando.

— Temos intimidade, mas não a esse ponto. Eu o trato com respeito e ele sempre foi muito respeitoso. Pense o que quiser, eu estou me sentindo injuriada.

A patroa desistiu da dispensa, relatou o que se passou no hospital e, como o que lhe foi pedido, também recomendou a ela para não tocar no assunto.

O casal era tão afeiçoado à Eliete que, em dias festivos, davam-lhe dois presentes, um da patroa e outro do patrão.

Maquiel, ao ver a doméstica, lembrou-se de um dia de aniversário dela, no qual deu-lhe um presentinho e ganhou um doce beijo de agradecimento. O retorno à casa foi num Dia dos Namorados e Marietta deu-lhe um buquê de rosas vermelhas com a intenção de se dar no leito, mas foi chamada para atender uma paciente e, por obrigação do seu ofício, teve de ir fazer o atendimento.

A sós com Eliete, comentou que a sua a sua invasão ao quarto dela foi um ato condenável, mas ocorreu por ela ser muito atraente e, embora sem querer, é sedutora.

— Eu dormia um sono tranquilo e me assustei, mas confesso que estava gostando. Que pena a tua mulher ter chegado. Só me apavorei quando você ficou pulando como um louco. Desculpe, mas pensei que estava realmente maluco.

— Foi a única saída que encontrei.

— Agora que tudo passou, podemos sorrir. Foi uma cena cômica.

— Sim, mas vamos mudar de assunto. Hoje, é dia 12 de junho. Você tem namorado?

— Tenho. Sou apaixonada por você.

Abriu-lhe um sorriso maroto, correu para o seu quartinho e deixou a porta aberta.

CAPÍTULO
XXIV

Necrópole, no Dia das Almas, não é tétrica. Ao contrário, é até meio alegre. Flores em profusão dão um colorido bonito. A maioria dos visitantes já conformada com a passagem dos entes queridos, depois de acender as velas, circula com o sentimento de dever cumprido.

SINAL FECHADO

O estrondo acordou até quem morava em altos edifícios.

"Um desastre!" Exclamação simultânea de muitos acordados. Nas cabeças, feias imagens da morte.

A mulher foi ao banheiro fazer xixi. Com a descarga, o barulho da água dissipou o mau pensamento. De volta, deitou-se e adormeceu.

De barriga para cima, olhos cerrados, o marido meditava. Era Dia de Finados. Na mente, lembranças de saudosas pessoas falecidas.

Tomado por um sentimento lôbrego, levantou-se devagar, pegou o celular e sentou-se no sofá da sala. Ligou para um amigo que não tinha nenhum grilo em abordar assuntos funestos. Dizia que ninguém deve temer a morte, um acontecimento inevitável, mas evitava o assunto e, ao passar por um cemitério, benzia-se. Católico não praticante, só entrava em igreja em caso de missa de ação de graças ou de sétimo dia do "desaparecimento" de um parente, o que fazia para reencontrar os seus próximos distantes, confessava.

No passado, o segundo dia de novembro era reservado para reflexões tristes, como as das Sextas-feiras da Paixão. Shows populares eram suspensos, o rádio só tocava músicas lamentosas, ninguém contava piadas. Partidas de futebol também não eram marcadas.

Acontece que os tempos são outros, os costumes mudaram e a vida segue normal.

No fatídico Dia de Finados, pensou na morte e, em vez de ficar triste, sorriu e cantarolou o samba irônico *Juízo Final*:

No último dia da vida/Encontrei-me com os meus pecados/ Uns maiores, outros menores/Mas no geral, bem pesados// Do outro lado somente/A ingratidão que sofri/O anjo pôs na balança/E vestido de branco, eu subi//Agora só toco harpa/De camisola e sandália/Espio pra ver lá embaixo/A quadrilha da fornalha//Aquela ingrata hoje está/Trabalhando de salsicha/ Espetadinha no garfo/Satanás fritando a bicha//Ô, demônio, capricha!

Mais do que ouvir música, gosta de ler. Dos contos lidos e relidos, o seu preferido era A Noite do Almirante, de Machado de Assis, talvez porque o marido tem ventas grandes, semelhantes às do personagem principal, um marinheiro. O comparável nunca andou de navio, a leitora idem. Sonhadores, planejavam fazer um cruzeiro marítimo, devaneio jamais realizado.

Filho de pai sisudo e mãe hilária, não herdou os adjetivos qualificativos dos genitores, nem na aparência. Não sendo carrancudo nem gozador, mantinha sempre o equilíbrio em conversas coletivas ou particulares.

Batizado, consagrado e crismado, fez a Primeira Comunhão e nunca mais comungou, nem segue os ritos aprendidos no catecismo. Não vai comer carne na Sexta-feira Santa, não por cumprir a abstinência religiosa. É porque não gosta de carne e de nenhum dos seus derivados, como hambúrguer, linguiça, almôndega, quibe...

Seu melhor amigo, criado pelos avós muito religiosos, também tem formação católica. Foi membro da Cruzada Eucarística da Juventude e, nas missas dominicais, como seus pares, usava a faixa amarela de cruz azul. Foi sacristão, aquele que é responsável pela limpeza e organização dos objetos eucarísticos na sacristia e ajuda o sacerdote nas celebrações missais, geralmente usando o paramento vermelho e branco, semelhantes às batinas.

No passado, as missas eram elegantes. Os homens, em sua maioria, não iam sem paletó, e os rapazes assistiam vestidos de camisa social. As mulheres, sempre bem produzidas, usavam véu preto. Os senhores da Congregação Mariana exibiam suas largas faixas vermelhas, as senhoras, suas azuis, que as identificavam como Filhas de Maria, e as moças de cabeças cobertas com véus brancos.

Agora agnóstico, o personagem principal desta história foi assistir um jogo de bola em plena Sexta-feira Santa. Gostava de um bom futebol e os clubes estavam com elencos de grandes craques.

Sua mulher, órfã de pai, de manhã, foi ao cemitério colocar flores no jazigo da família e acender velas. Comprou círios e flores em excesso e colocou o excedente em túmulos sem visitantes, próximos ao do seu pai.

Necrópole, no Dia das Almas, não é tétrica. Ao contrário, é até meio alegre. Flores em profusão dão um colorido bonito. A maioria dos visitantes já conformada com a passagem dos entes queridos, depois de acender as velas, circula com o sentimento de dever cumprido.

Católica à brasileira, isto é, louva Deus acima de tudo, tem Jesus no coração, é devota de São Benedito e acredita na força dos seus Orixás, mas não frequenta muito seu terreiro de Umbanda, onde tem os seus guias assentados. Da mesma forma, o seu catolicismo não é muito praticado, porém, diariamente conversa com Deus em ato de agradecimento por tudo que tem ou por um objetivo alcançado. Também eleva o seu pensamento às divindades das religiões de matriz africana as saudando:

— Saravá Ogum! Atotô Obaluaye!

Se tem uma questão difícil a resolver ou qualquer grande problema, reza a Oração do Espírito Santo.

No tempo de solteira, teve um amante, sonhava casar-se com ele, de opinião contrária à instituição do casamento. Sem perder a esperança, invocou a Terceira Pessoa da Santíssima Trindade e se deu bem, rezando:

Ó Poderoso Divino Espírito Santo, criador do céu e da terra, de tudo e de todos! Peço socorro ao vosso enorme poder para me ajudar a conseguir algo que parece simplesmente impossível. Os problemas da terra são muito difíceis de resolver e por vezes é necessário um pouco da vossa ajuda divina. Com fé vos peço para me ajudar a alcançar a graça de receber o Sétimo Sacramento. Apenas faço esse pedido, Divino Espírito Santo, porque sei que realmente preciso e porque estou sofrendo. Sei que ajudas a quem precisa e neste momento almejo, com esperança, ver o meu pedido atendido para conseguir ser feliz e rezar em agradecimento. Com muito amor e devoção, deixo a minha vida nas vossas poderosas mãos pois sei que queres o melhor para mim e para todos. Antecipadamente, declaro minha gratidão a vós, meu poderoso Divino Espírito Santo, ao Deus Pai e ao Deus Filho. Amém.

Levaram uma longa vida feliz, até que, em um sábado de verão, por volta das oito horas, raios de sol já penetravam pelas janelas dos edifícios e, ao meio-dia, era escaldante. Às dezessete, a garoa marcou presença, a temperatura baixou, vieram brisas gélidas e, às dezoito, os termômetros anunciavam graus de inverno. O marido deixou a arquibancada do campo de futebol chateado. Pensou que ia ver uma partida com belas jogadas e muitos gols, mas assistiu um jogo catimbado que não saiu do zero a zero. Em partidas sem gols, cada time ganha ponto, mas deveriam era perder dois, dizia.

No retorno, caiu chuva intermitente, grossa e fria. Estacionou numa calçada, coisa proibida, na frente de um bar, entrou respingado, tomou uns tragos.

Água escoada, seguiu em marcha lenta, ligou o aparelho de som, acelerou. Distraído, não respeitou um semáforo vermelho.

Nem teve tempo de ouvir o estrondo.

CAPÍTULO XXV

As esposas iam para os salões de cabeleireiros e manicures e permaneciam por lá o máximo de tempo possível, e seus cônjuges saíam e só retornavam em altas horas, com a esperança de que elas já estivessem dormindo. A falta de bom relacionamento, inclusive sexual, resultou em muitos desenlaces.

EFEITOS DE UMA VIROSE

Hora da Ave Maria, seis da tarde. Tarde ou noite? Depende. No verão, ainda se pode dar "Boa tarde!", no inverno não. Como todos sabem, as grandes cidades têm trânsito caótico, principalmente na parte da manhã, período em que os trabalhadores se deslocam para exercer seus ofícios e, da mesma forma, no fim da tarde, na volta para suas casas.

Isto mudou quando uma virose gripal assolou Bruzungo, um país de dimensões continentais, e houve uma ordem do Ministro da Saúde, que suspendeu todas as atividades de lazer, a começar pelos eventos artísticos e, mesmo sem o aval do chefe, do Poder Executivo, a determinação foi cumprida.

Alegria e lazer são necessidades vitais, mas teatros, cinemas, boates, casas de show e bares com música ao vivo, lanchonetes e restaurantes cerraram as portas. Estabelecimentos comerciais, em geral, também interromperam suas atividades, com exceção de farmácias, supermercados e postos de combustíveis. Hospitais só recebiam pacientes em casos de emergência. O decreto determinava que todos os cidadãos e cidadãs deveriam permanecer em suas casas, com exceção dos trabalhadores de serviços essenciais, obrigados a usar máscaras, e a maioria usava as de pano branco.

Riacho de Janeiro, a alegre cidade capital cultural de Bruzungo, vazia, ficou triste.

Virtude admirável é não falar de coisas tristes e privilegiar, nas conversas, as alegrias.

Marco Bezerro, prefeito de Riacho de Janeiro, capital do estado, não tomou nenhuma providência com relação à virose. Evangélico por conveniência política, entrevistado por uma jornalista, disse que o momento era propício para meditações e que todos deviam fazer como ele: orar de manhã, à tarde e à noite.

Contraditoriamente, em vez de orar, seu filho cantava, parodiando um ponto de macumba:

Sou riachense como a bossa nova/Partido alto é um meu dikamba/Sou a Umbanda, venho de Aruanda/E o meu batuque aqui virou samba/Cá a Kianda é Iemanjá/É Janaina e também Aioká/São Benedito é um Preto Velho/Que transmite as ordens do Pai Oxalá.

Tudo que acontece de ruim tem algo de bom. Por exemplo, a reclusão proporcionou a união de uma família composta por pais e filhos adultos que praticamente não se comunicavam e, graças ao recolhimento, se integraram.

A mãe, Dra. Mandeta, médica clínica geral, saía bem cedo para atender seus pacientes. Antes, aprontava o café da manhã, tomava e deixava o desjejum preparado sobre a mesa para o marido e os filhos.

O pai, Abílio Senda, gerente de um shopping, dormia até um pouco mais tarde e não era incomodado para tomar o pequeno almoço, como dizem os portugueses. Para os angolanos, é mata-bichos a primeira refeição, que os americanos chamam de *breakfast* e os franceses de *petit dejeuner*.

Os filhos, Ana Maria Diniz e Arthur, estudavam em horário noturno e chegavam em casa quase sempre pela madrugada, dormiam até a hora do almoço e comiam sem desjejuar. Cada um arrumava a sua cama ao acordar e, harmoniosamente, dividiam os afazeres domésticos.

Boa dona de casa, a Dra. Mandeta deixava, diariamente, os almoços pré-cozidos, e Abílio Senda, o marido, que também gostava de cozinhar, completava a primeira refeição e fazia os jantares. A filha lavava louças e tudo o mais depositado na pia, mantinha a cozinha limpa e o filho faxinava com satisfação.

Aos domingos, não saíam de casa e preenchiam o tempo com jogos de cartas nos divertidos mexe-mexe, crapô e tranca, este mais difícil que a canastra, popularmente chamada de "buraco". Buraco? Por que é chamado assim? Ah! Lembrei. É devido à intenção de terminar o jogo em contagem alta e deixar o parceiro bem em baixo. No buraco.

Com o passar do tempo, veio em todos a impressão de que os dias ficaram mais longos, sem graça. As noites também. Os pais, responsáveis pela alimentação, repetiam os mesmos pratos. As louças, talheres, panelas e frigideiras adormeciam na pia. Sem ter o que fazer, o chefe da família ficava jogando paciência no computador durante a maior parte do dia e da noite. Gostava muito de jogar tranca cara a cara com a mulher e ela nem tanto. Então, ele ficava mexendo nas cartas sozinho.

As necessárias reclusões domiciliares geraram neuroses e histeria em uns, e, em outros, de angústia. Todos foram achando tudo muito chato, os ânimos foram se alterando e algumas discussões aconteciam.

Por falta de transeuntes, as providências preventivas prejudicaram até mendigos que viviam de esmolas. Atores ficaram depressivos com as interrupções das suas interpretações nas peças e os cantores entristecidos pelo cancelamento dos seus shows. Estes mais sentiram porque foram impedidos de viajar e as apresentações, em sua maioria, eram em outras plagas.

O vírus contagiou a população, muitos morreram e, quando eliminado, deixou sequelas na sociedade. A médica, como muitos, ficou com mania de limpeza. Higienizava a casa, lavava as mãos demasiadamente, passava álcool gel nas palmas e exigia que o marido e os filhos também agissem assim. Amigos não se abraçavam como antes e pessoas de vida social intensa viraram caseiras e gostavam de estar em privacidade. Amantes namoravam com fervor e o desejo de um ou de uma impulsionava o outro ou a outra.

Durante o longo período de reclusão, através do FaceTime, jovens se divertiam brincando de videoconferência e evitavam falar de política, religião... Não viam os noticiários da televisão com repetitivas informações sobre pessoas infectadas. Virtualmente, alguns dirigiam frases sensuais para seus respectivos interlocutores e, olhando-se, possuíam um ao outro.

Quando as coisas foram voltando ao normal, casais amorosos deixaram de se amar e enamorados custaram a voltar aos beijos, seguir os instintos.

Cientistas do mundo inteiro trabalharam noite e dia, criaram vacinas e, bombardeada por um antídoto, a virose foi se esvaindo e, num mês de setembro, a alegria desabrochou com as flores da primavera.

Por imposição do Presidente falastrão, a ordem de paralisação geral foi afrouxada pelo Ministro da Saúde, com a recomendação de que os que foram infectados cumprissem a quarentena confinados e que os não atingidos evitassem aglomerações.

Uma consequência desagregadora: por terem permanecido muito tempo juntos, maridos, mulheres, pais, filhos, irmãos e muitos familiares se evitavam. Praticamente, não se falavam. Preferiam se comunicar com seus amigos pelos celulares. As esposas iam para os salões de cabeleireiros e manicures e permaneciam por lá o máximo de tempo possível, e seus cônjuges saíam e só retornavam em altas horas, com a esperança de que elas já estivessem dormindo. A falta de bom relacionamento, inclusive sexual, resultou em muitos desenlaces.

O governador de Riacho de Janeiro, mesmo nome da capital do estado, também separado de sua família, dormia na residência governamental. Político hábil, aproveitou a situação e, no principal noticiário da televisão, fez um pronunciamento agradecendo a população por ter seguido as instruções governamentais e enalteceu o SUS, Serviço de Urgência Sanitária, pelas providências tomadas.

O presidente boquirroto se dirigiu à Nação, pela TV principal em horário nobre, e, durante a sua fala, aconteceu um panelaço em todas as capitais de Bruzungo. O povo não estava irritado e os habitantes de Riacho de Janeiro, bem-humorados e gozadores, bateram panelas festivamente, em ritmo de marcha carnavalesca e, ao mesmo tempo, gritavam:

— Viva o SUS! Palhaçôoo! Vai tomar no "SUS"!

CAPÍTULO XXVI

Na despedida, agradeceu, beijou-lhe a mão, convidou-a para jantar num restaurante e, sem dar tempo para uma recusa, disse "venho pegá-la às oito horas". Partiu sem ouvir a reposta, regressou exatamente na dita hora e a encontrou desarrumada. Não iria, mas pediu para ele esperar um pouquinho, aprontou-se e foi.

DESPACHANTE DESPACHADO

Encarregado de solucionar as questões burocráticas de um funeral, resolveu tudo a contento. A burocracia é complicada: declaração de óbito fornecida pelo médico, documentos para liberação do hospital, SVOC (Serviço de Verificação de Óbitos da Capital) ou IML (Instituto Médico Legal) e é obrigatório apresentar a Certidão de Casamento ou a de Nascimento da pessoa falecida. Tudo isso pode ser facilitado por um despachante. Pode-se também apelar para a Santa Casa, uma organização que atua no mercado funerário e oferece todo tipo de serviço para a realização de funerais.

Atencioso, o profissional de enterros ficou no velório ao lado da viúva até o fechamento do caixão e acompanhou o féretro ao cemitério, vestido com o seu terno preto. Já dispondo da confiança dela, a consolava, embora não precisasse de consolo, visto que era uma dessas mulheres que se casam por conveniência, cumprem as particulares obrigações matrimoniais apenas para manter o casamento e, possivelmente, não iria sentir grandes saudades sensuais.

Os primeiros dias não foram de muita solidão. O filho e o genro dormiam na casa dela, alternadamente, e, durante o dia, recebia a visita da filha, com o neto, mas, com o passar do tempo, as companhias foram rareando e a viúva foi ficando sozinha.

Certo dia, o despachante, ao mexer no seu arquivo de documentos, deparou-se com a certidão de óbito do falecido e observou que a assinatura do médico certificador estava sem registro cartorial. Ligou para a viúva, passou a informação e comunicou que ia pegar o documento, levar à casa dela e entregar. A residência ficava no caminho do tabelionato, achou por bem convidá-la a acompanhá-lo. Foi recebido gentilmente e convidado a entrar.

— Como tem passado?

— Enfurnada, mas tudo bem.

— Quer ir comigo ao cartório?

— Não. Só se minha presença for muito necessária.

— Vamos! É bom sair um pouco.

No trajeto de ida, seguiram quase silentes e, na volta, trocaram poucas palavras.

Em casa, convidado a tomar um cafezinho, aceitou. Na despedida, agradeceu, beijou-lhe a mão, convidou-a para jantar num restaurante e, sem dar tempo para uma recusa, disse "venho pegá-la às oito horas". Partiu sem ouvir a resposta, regressou exatamente na dita hora e a encontrou desarrumada. Não iria, mas pediu para ele esperar um pouquinho, aprontou-se e foi.

Sem perguntar se ela tinha alguma preferência, levou-a a um restaurante italiano. A atendente, sua conhecida, os recebeu cheia de gentilezas e os levou para uma mesa de canto, sabidamente a sua preferida. Sentados, perguntou se ela preferia ser chamada de "você" e a resposta saiu direta. Disse sorrindo: "Tanto faz, só não gosto de ser chamada de "dona".

— Então, por gentileza, não me chame de "senhor". Apesar dos pesares, eu não me considero um velho.

— E realmente não é. Aparenta ter bem menos idade do que a que me disse ter naquela conversinha que tivemos no carro, ao voltarmos do cartório. Eu é que já estou meio passada.

Lisonjeado, retribuiu com vários elogios:

— Passada? Não se subestime. Você é jovem, nem tem ares de viúva e é bem mais nova do que eu.

— Não é verdade. A viuvez envelhece.

— Viúva é uma bela ave rara, só encontrada em países da África subsaariana. Como ela, você também é bonita e admirável, incomum. Jamais conheci alguém semelhante.

Por um instante, meio sem graça com os elogios, a cortejada abriu um largo sorriso, passou as mãos nos cabelos castanhos claros e arregalou os olhos cor de mel, movimentos interrompidos com a aproximação do garçom que a saudou com um gesto reverente e ele, com intimidade, apresentou dois cardápios, um dispensado por ela. Iria pedir sugestões. O servente de mesas antecipou-se sugerindo um prato novo criado pelo mestre-cuca, um talharim negro com lulas crocantes e de entrada ovo de codorna em molho de alcaparra. Dispensaram o acepipe e, informados de que a massa do prato principal era enegrecida pela tinta da lula, aceitaram a sugestão.

O fino prato custou a ser servido e, sem reclamar, gastaram o tempo provando os acepipes espalhados sobre a mesa.

"Que delícia!" — exclamaram em uníssono ao saborear o talharim preto.

O garçom ofereceu uma torta de chocolate branco para a sobremesa, dispensaram. Antes de pedir a conta, permaneceram por mais de uma hora proseando alegremente. A convidada, que não queria aceitar o invite, revelou que, por pouco, não era biviúva.

— Biviúva?

Explicou:

— Antes de me casar com o falecido — que Deus o abrace! —, tive um único namorado. Noivamos, estávamos de casamento marcado e, dias antes, ele bateu as botas. Falo assim agora, mas senti muito, demais até.

— Eu nunca noivei. Se uma namoradinha falava em casamento, eu dava no pé. Tive uma quase da minha idade, profissional liberal. Estava gostando dela, mas ao falar em união estável, desgostei na hora.

Seguiu contando casos engraçados de enterros. Citou o de um solteirão. Ao falecer, uma senhora o procurou para organizar o féretro, em seguida outra e outras. Também o de uma viúva, residente numa bela casa. Neste, em pleno velório, foi chamado a um canto e recebeu a incumbência de preparar os papéis para o casamento dela com o jardineiro.

No regresso do restaurante, todo cortês, abriu a porta do carro e, apertado em um abraço, ganhou um beijão.

CAPÍTULO
XXVII

Sem mais motivos para ofensas, jantaram carrancudos. Sem a bicotinha de "boa noite", com as cabeças povoadas de grilos, fingiam dormir, cada qual virado para o seu lado. Não eram chegados a arrebatamentos noturnos, só de vez em quando.

SIMBORA PRA CASA!

Membro de família da alta sociedade, conheceu um emergente bem-sucedido, apresentado por um amigo em comum.

— Muito prazer! Sílvio, ao seu dispor.

O outro, como era de costume, disse a sua graça seguida de todos os sobrenomes, para impressionar:

— O prazer é todo meu! José Bonifácio Dorneles Vargas de Andrada e Silva.

Nem sempre a impressão era boa. Em alguns círculos, era visto como pedante e perdia a oportunidade de fazer boas amizades.

A maior diferença entre eles é que um era decadente e o outro emergente, o que não os impediu de tornarem-se amigos.

O primeiro, muito bem-sucedido economicamente, mantinha a humildade de berço. Jamais falava "eu tenho isso, aquilo e aquilo outro", embora possuidor de muitos bens. Tinha um filho que o ajudava a administrar os negócios.

O segundo, sem nenhum parentesco com o estadista e poeta luso-brasileiro, Patrono da Independência do Brasil, foi registrado com o nome dele, tendo ainda os sobrenomes do presidente Getúlio no meio.

A filha do segundo, nem bonita nem feia, nem sensual nem desprezível, era prenda doméstica ou nem isso, pois as prendas são moças que sabem cozinhar e foram preparadas para cuidar de uma futura casa, coisas que nunca soube fazer.

Sílvio passou a sonhar em ver o seu varão casado com a filha do novo amigo, calculando que, pelos sobrenomes, certamente a moça era de família tradicional, o que, para ele, seria um bom *status*.

José Bonifácio desejava o mesmo para a sua filhota, devido à situação financeira do genitor do rapazola.

Devido à influência dos pais, os jovens acabaram namorando, transaram e casaram-se, ou melhor, foram induzidos ao casamento conveniente. O enlace arranjado, sem um verdadeiro amor recíproco, teve curta duração. Não tinham a intenção de desenlaçarem-se, mas divorciaram-se por ciúmes infundados, causados pela postagem de uma foto dela com um namoradinho de infância.

A esposa, convidada para uma festinha *petit comité* de aniversário de uma amiga, desejava levar o marido, que não pôde ir por ter um jantar com um empresário para tratar de negócios do pai sob sua gerência, mas não se opôs que ela fosse sem a sua companhia.

Jantares de negociantes não são demorados e ele regressou às onze e poucos; ela, às vinte e três e muitos, plena de alegria.

Despertado pela batida de porta da mulher radiante, a recebeu com frieza e ela murchou.

Muitas fotos da festinha foram postadas. Em uma, todos estavam abraçados e ela ao lado de um rapaz que foi seu primeiro namorado, com o qual não conversou reservadamente.

Ao ver a postagem, o homem sempre calmo teve um tremelique, cerrou os olhos balançando o corpo tal qual crente em transe espiritual.

Tal qual um Exu, orixá menor e brincalhão, fez uma cena de ciúme:

— Ficou muito emocionada ao reencontrar o seu namoradinho de infância, um malfeitor?

— Que calúnia! Francisquinho é uma boa pessoa. Não é malfeitor.

— É sim. Você mesma me disse que foi ele que lhe fez mal.

— Por falar nisso, no salão de cabeleireiros, eu conheci uma piranha, e ela, com expressão facial de desejo, teve a petulância de me perguntar por você. Está com saudade dela?

Discussões entre o casal não aconteciam, tratavam-se com respeito e carinho. Este bate-boca inicial foi o estopim para o surgimento de outros mais ofensivos.

Proferindo palavras machistas, o arrogante marido a chamou de bonequinha inútil; ela revidou com grosserias, chamando-o, inclusive, de puxa-saco do pai.

Sem mais motivos para ofensas, jantaram carrancudos. Sem a bicotinha de "boa noite", com as cabeças povoadas de grilos, fingiam dormir, cada qual virado para o seu lado. Não eram chegados a arrebatamentos noturnos, só de vez em quando.

Grilada com o "bonequinha inútil", imóvel na cama e pensativa, só dormiu vencida pelo cansaço, lá pelas tantas, um sono agitado, variando de sonhos eróticos a pesadelos... Em um de seus devaneios, era amante de um belo ator de televisão, em outro superposto, trabalhava como prostituta de rua, sendo possuída por homens estranhos. O pior foi o de estar sendo currada.

Ao seu lado, grilos martelavam a cabeça do "puxa-saco do pai" até de madruga. Praticamente sem dormir, pulou cedo da cama, pegou umas poucas coisas e foi para um hotel, um tanto alegre. Desfazendo a mala e acomodando o que trazia, coisa que não estava habituado a fazer nos regressos de viagens, mirou-se em um espelho, ergueu a cabeça, fitou o teto por uns segundos e foi ficando melancólico. Sobre uma pequena geladeira, havia várias garrafinhas de bebidas, pegou uma de uísque, tomou sem gelo. De barriga vazia, ficou tonto e jogou-se na cama.

Dormiu até a tarde. Acordou ainda meio zonzo, lavou a cara e reanimou-se. Decidido, contatou um advogado e entrou com um pedido de divórcio.

Micaela, despertada dos sonhos e pesadelos, de cabeça esvaziada das rusgas, acordou excitada pelo delírio de amor com o ator e, virando-se, sentindo-se solitária, murchou. Desprovida de vitalidade para se levantar, permaneceu deitada por uns poucos ou muitos minutos.

A primeira providência foi ligar para um causídico, seu conhecido, com a intenção de fazer o que já estava feito pelo marido. O jurista, cauteloso, a convenceu a entrar primeiro com uma queixa de abandono de lar. Talvez depois, a petição separatista.

Em juízo, na audiência de reconciliação, cumprimentaram-se respeitosamente, sem demostrar rancores. O magistrado filosofou sobre atitudes impulsivas, desviou a fala para a obrigação dos casais de lutar pelo amor, discorreu sobre a importância da família, da meditação, da contenção dos impulsos... Deu o exemplo de si próprio com a esposa, ao passar por um momento difícil quando ainda nem tinha filhos. Superaram, vivem felizes, trocam presentes no Dia dos Namorados e já comemoraram bodas de prata. Olhou para o relógio de pulso, voltou o olhar para eles e deu por terminada a sessão. Palavras dele: "Foi um prazer conhecê-los, sigam em paz e até a próxima, se houver."

Houve a segunda audiência. Agradeceram o empenho do magistrado para que a separação não se consumasse, disseram que não guardam mágoas e que serão bons amigos, mas deixaram claro não ter desejo de reconciliar.

Decepcionado como um advogado ao perder uma causa, juntou os pedidos de divórcio e deferiu.

Os divorciados, saíram da audiência de mãos dadas e, na porta do fórum, deram um longo beijo.

— Vou sentir saudades.

— Eu talvez mais ainda. Será difícil viver sem você. Seja feliz, adeus!

Brilhantes olhos de azeviche perderam o fulgor, assemelhando-se aos de peixe morto. Um novo beijo provocou um misterioso espasmo que estremeceu os corpos, levando os olhos a brilharem.

O ex-marido, despediu-se com voz triste:

— Seja feliz, adeus!

Micaela abriu um sorriso e, de repente, tomou uma atitude autoritária:

— Que adeus nada! Simbora pra casa!

CAPÍTULO XXVIII

No passado, em caso de falecimento do chefe da família, era quase obrigatório a viúva usar roupas pretas durante meio ano e os filhos também se enegreciam visualmente por alguns meses. Parentes do falecido usavam uma tarja preta na gola do paletó ou da camisa social.

A VIÚVA

Num beijo concentrado, os amantes levitam. Entregues em ósculos de não sentir os pés, casados há muitos anos, continuavam apaixonados. Trocavam repetidas declarações de amor, a mulher fazia de tudo para saciar os desejos do marido e o homem sentia grande prazer ao perceber o corpo da amada tremer com a descarga elétrica do ápice.

Para facilitar a vida da mulher, ia ao mercado fazer as compras e, dos shoppings, trazia o que era necessário para a casa e para ela, inclusive absorventes. A exceção eram as roupas íntimas. Nestes casos, ela ia comprar, mas ele a acompanhava. Jovial e sadio aos sessenta anos, gozava de boa saúde, não fumava, mas pegou uma doença pulmonar e emagreceu. Enfraquecido, sua alma abandonou a matéria e o coração parou de bater.

O que fazer?

Dona de casa exemplar, cuidava de tudo e de todos os familiares. Da porta para fora, não sabia como agir. Pediu a alguém para chamar o filho não muito ligado ao pai. Soube da doença dele, não foi visitá-lo no hospital, mas, ao receber a notícia fúnebre, ficou consternado. Reuniu as forças, contratou um despachante para tratar do enterro, foi ao velório em companhia de um amigo e acompanhou o caixão até a sepultura.

No passado, em caso de falecimento do chefe da família, era quase obrigatório a viúva usar roupas pretas durante meio ano e os filhos também se enegreciam visualmente por alguns meses. Parentes do falecido usavam uma tarja preta na gola do paletó ou da camisa social.

Muito sentida, a viúva internou-se em casa, de onde só saía em casos de extrema necessidade.

Nos primeiros dias, o filho dormia com ela e a filha a visitava diariamente. Com o passar dos dias, as visitas foram escasseando.

O despachante, que cuidou do enterro, encomendou a missa de sétimo dia e ligou para saber se ela precisava de alguma coisa. Engrenaram uma conversa e ela manifestou a intenção de se mudar, do que foi desestimulada com a sugestão de que deveria pintar a casa, desfazer-se das roupas, sapatos e tudo o mais. Colocou-se à disposição para ajudar. Envergando o seu impecável terno preto, o elegante homem passou a visitá-la de vez em quando.

Nas conversas, evitavam falar do finado. Palreavam descontraídos, a enviuvada foi recuperando a alegria e, em pouco tempo, estavam de namoro, tal qual adolescentes.

No dia do seu aniversário de cinquenta anos, a viúva alegre resolveu fazer uma pequena comemoração, reunindo as pessoas mais próximas, tendo como intuito principal a apresentação do seu namorado e dizer que estava amando.

O filho foi o primeiro a chegar, com seu companheiro. Em seguida, a filha grávida com seu marido e um filho pequeno.

A antiga nora, de grande consideração, apesar de ter deixado de ser da família, foi convidada, chegou com a namorada e abraçou efusivamente a filha da aniversariante.

Mais tarde, em animada conversa particular, relembraram o dia em que se conheceram numa cidadezinha interiorana, inesquecível para ambas, uma por ter voltado com um grande problema e a outra porque lá teve a sua primeira noite de amor carnal.

— Não tive coragem de contar para mamãe o ocorrido, segurei-me. Perdoe-me, mas pensei em botar a culpa em você, por ter proposto a troca de quartos e eu tive de dormir com o meu namorado.

— Você devia era me agradecer. Lembro bem de ter me dito que se sentia inferior às suas colegas de escola quando elas comentavam sobre suas vidas sexuais. Se não fosse eu, talvez você fosse virgem até hoje, disse galhofando.

— Tá bem, muito obrigada.

— Quanto a mim, pratiquei uma irresponsabilidade. Transei sem precauções e fiquei "embaraçada", como dizem os espanhóis ao se referirem às grávidas. Nos dois meses seguintes, a minha menstruação não veio, no terceiro, eu fiz um exame de gravidez e deu positivo. Entrei em pânico. Planejei procurar uma aborteira, mas fui empurrando com a barriga cheia. Risos. Não daria para esconder por muito tempo, contei logo para minha mãe e fui espinafrada. Depois de muita reprimenda, nos acalmamos e ela planejou informar o meu pai, que já está no céu. Que Deus o guarde! Mamãe não contou de cara que a tão querida filhinha dele não era mais uma donzela. Postergou até que, em ocasião propícia, revelou, sem citar a gravidez. Papai sonhava me ver casada de véu e grinalda e, logo ao ouvir a primeira parte do que a mamãe iria informar, interrompeu-a, chamou o meu benfeitor lá em casa, deu-lhe uma esculhambação e o agrediu chamando-o de "moleque" e outras coisas mais pesadas, graças a Deus não revidadas, o que poderia resultar em agressões físicas imprevisíveis. Papai foi competidor em lutas de boxe e, uma vez por semana, fazia treinamento de *karatê*. Praticante de capoeira e luta livre, tranquilo como sempre, meu queridinho manteve a calma e falou sem alterar a voz:

— Meu senhor, por favor, ouça-me! Reconheço que fui insensato, mas se consentir, posso me casar para reparar o erro.

O sangue ferveu e eu rebati:

— Se for casar por reparação de erro, eu me recuso! Não cometemos nenhum pecado. Nos envolvemos por força de um grande e puro amor.

A confusão não parou e disse ao virar-se para os dois:

— Escute, papai! Escute você também. Vou fazer uma revelação que a mamãe já sabe e talvez deixe vocês felizes. Amor, você vai ser papai e você, meu pai, será vovô.

Olhos espantados em silêncio. Abraços simultâneos. Alegria. Lágrimas de felicidade.

Os que agora são sogro e genro estiveram quase em vias de fato e só não entraram em combate graças aos ensinamentos condicionais básicos dos seus mestres esportivos: "Não aceitar provocações. Não brigar. Se for atacado, só se defender. Atacar, só no tatame."

Quando da passagem do sogro para outro plano, o genro sentiu muito, talvez mais que a sogra. Era muito equilibrado, mas não se conteve. Verteu lagrimas abundantes e, sem ser religioso, procurou na internet uma oração às almas e rezou em voz alta, um pouco antes do esquife ser fechado:

Senhor meu Deus, criador e redentor de todos os homens, concedei à alma do Vosso servo Santiago Bento a remissão de todos os seus pecados. Ouvi, piedoso Senhor, a prece que humildemente Vos dirijo. Alcançai para a sua alma o perdão, a fim de que ele possa cantar os Vossos louvores no Céu eternamente. Concedei-lhe, Senhor meu, a mansão do refrigério, a bem-aventurança eterna e o resplendor da Vossa luz. Deus eterno, misericordioso e justo, Vós que desejais a salvação de todas as criaturas humanas, a Vós suplico a clemência para que a alma deste Vosso filho seja por Vós abençoada e goze de felicidade eterna. Atendei, Senhor, a minha prece, com a esperança da Vossa compaixão com a alma deste Vosso servo purificando-o dos seus pecados. Rogo com a certeza do Vosso atendimento, que essa alma esteja convosco por todos os séculos. Amém.

Não devemos nos esquecer de que estamos em festa de aniversário com bolo e o tradicional *"Parabéns pra você/ Nesta data querida/Muita felicidade/Muitos anos de vida"*.

Sopradas as velinhas diversas vezes, porque se inflamam automaticamente, ouviu-se um pedido de silêncio e uma declaração de amor:

— Minha gente! Estou muito feliz. Estou amando.

Todos suspeitavam e os olhares se convergiram para o único não familiar presente, o despachante, neste dia, sem o seu terno preto. Surpreso com a revelação, ficou estático. Só as meninas dos olhos se moviam nos sentidos leste--oeste e, observando as reações dos presentes, bradou:

— Acreditem! Eu também amo e estou apaixonado. Meu maior desejo é fazer parte desta família.

Palmas, assobios, vivas e gritos uníssonos:

— Beija! Beija! Beija!

CAPÍTULO XXIX

Em tempo passado, bacalhau era comida de segunda categoria. Tanto é verdade que, se o chefe de uma família recebia visita de alguém sem muita importância e tinha de oferecer algo para comer, dizia para a mulher: "para quem é, bacalhau basta".

BACALHAU É PEIXE

Dois casais amigos não eram chegados a badalações. Constantemente se visitavam e, nessas ocasiões, esporadicamente iam juntos bebericar e petiscar em uma adega tranquila, na redondeza.

Em noites frias, não saíam. Agasalhados por taças de vinho, os homens disputavam partidas de xadrez, silentes, enquanto as mulheres se aqueciam com canecas de chocolate, conversando animadamente. Em outras ocasiões, os quatro giravam os dados no gamão ou jogavam canastra de tranca. Machos preferiam disputar entre si, fêmeas idem, o que nem sempre acontecia. Os parceiros eram sorteados, cada um puxando uma carta do meio do baralho e os que pegavam as maiores eram os parceiros.

No verão, em alguns fins de semana, vinham curtir uma praia em Ipanema, a preferida deles, ou pegavam o sinuoso caminho de uma serra em direção à Fantasia do Alto, uma cidadezinha bucólica, para saborear um bom bacalhau e tomar banhos numa cachoeira alta ou na de queda menor, as principais. Havia rios nas redondezas da cidade interiorana, banhada por um rio piscoso onde pescaram pela vez primeira. Caudaloso, o rio é importante por sua extensão fluvial.

Certa vez, um senhor com o qual fizeram amizade perguntou:

— Como vocês, que moram tão longe, vieram parar aqui neste fim de mundo?

— Pode acreditar, um tanto por causa do Lenny Kravitz, cantor americano. Soube, ao ler uma entrevista, que ele tem uma fazenda aqui e falou muito bem da cidade que eu, carioca, não conhecia. Entretanto, ao ouvir os versos "é um lugar especial para quem é sentimental e aprecia um gostoso bacalhau" na música geográfica *Meu Off Rio*, ficamos curiosos e resolvemos vir conferir. Gostamos e, sempre que possível, voltamos. Gostaríamos de saber por que a cidade, além de ser conhecida como "Terra dos Foliões de Santos Reis", é chamada de "Cidade do Bacalhau".

Para isso vou ter de contar a história de um cozinheiro natural, de uma tapera que voltou a ser habitada, cresceu, virou uma vila e transformou-se nesta cidadezinha.

O rapaz viajou para uma cidade grande e, ao sentir fome, entrou em uma pensão para almoçar. De entrada, pediu bolinhos de arroz e o atendente perguntou se ele não preferia bolinhos de bacalhau. Jamais comera tão apreciado bolinho. Provou por insistência a iguaria frita e gostou muito. Encomendou duas dúzias, levou para a mulher e a filha e reservou alguns para oferecer a amigos cachaceiros frequentadores do seu bar, em substituição ao pedacinho de torresmo que costumava dar como tira-gosto.

Foi um sucesso.

Na sua cidadezinha e adjacências, ninguém conhecia os tais bolinhos que, em terras lusas, são chamados de pastéis e muita gente ia ao seu barzinho para consumi-los.

Que pena! Havia trazido poucos bolinhos.

Eureca! Teve a ideia de fazer do bolinho um petisco típico do seu bar. Voltou à pensão e perguntou como os bolinhos eram feitos. Foi informado que bastava dessalgar, colocar em uma frigideira, misturar batata cozida amassada, farinha de trigo, cebola, cheiro verde, fazer bolinhos com as palmas das mãos e fritar no azeite.

Em virtude do fluxo de pessoas, aumentou o estabelecimento, transformando-o em restaurante. Servia os bolinhos com arroz de tomate, com espaguete ao sugo, com arroz de brócolis, com peixe frito ou cozido... Até com angu.

Buscava a matéria-prima na tal cidade. Resolveu almoçar e viu no cardápio vários pratos, pediu sugestão, indicaram-lhe o bacalhau cozido e esbaldou-se.

Segundo os ictiólogos, estudiosos dos peixes, bacalhau é o nome aplicado aos vertebrados aquáticos específicos *Gadus morhua, Gadus macrocephalus* e *Gadu*, depois de passarem por um processo de salgamento e secura. Há um peixe de água doce, o pirarucu, que é conhecido como "bacalhau amazônico".

Curioso, perguntou ao proprietário sobre a preparação, no que foi atendido com gentileza. À medida que o homem ia falando, ele anotava e guardou, muito bem guardada, a receita:

1: Num tacho, coloque água e deixe ferver. Logo que levantar fervura, ponha o bacalhau a cozer por 8 minutos;

2: Noutro tacho, coloque água e sal q.b. Deite as batatas e a cenoura cortada. Deixe cozer tudo muito bem. Ao meio da cozedura, acrescente os brócolis. Vá espetando o garfo para ver se está cozido,

3: Use outra panela para cozinhar os ovos;

4: Coloque tudo numa travessa e sirva, temperando com azeite.

Atualmente, os pratos feitos com bacalhau são considerados alimentos finos e dispendiosos. Obrigatoriamente, fazem parte das ceias no período de "boas festas" dos finais de ano.

Em tempo passado, bacalhau era comida de segunda categoria. Tanto é verdade que, se o chefe de uma família recebia visita de alguém sem muita importância e tinha de oferecer algo para comer, dizia para a mulher: "para quem é, bacalhau basta".

Homem de visão, Everardo alugou uma loja que estava vazia e a transformou em um restaurante especializado em bacalhaus.

Não seguiu piamente a receita acima. Com um toque especial, criou o prato batizado pelos comensais de Bacalhau à Moda do Chefe.

Por causa dele, sua cidade natal ficou identificada com o animal marinho vertebrado e foi cantada num samba com destaque para o verso "é um lugar especial para quem é sentimental e aprecia um gostoso bacalhau".

O saudoso cozinheiro era uma pessoa maravilhosa. Solícito e muito querido por todos, não negava ajuda a quem precisasse e marcava presença em quase todos os eventos da cidade.

Religioso, assistia missa aos domingos, participava das festas da Igreja Matriz e não perdia uma ladainha caseira.

Devoto dos Santos Reis Magos, gostava das Folias de Reis, que são manifestações folclóricas de cunho religioso, que têm Bandeira do Divino, cantoria entoada pelos foliões, mestres, contramestres e um palhaço de máscara horripilante que dança mazurca, inventa versos e faz diabruras.

O palhaço da Folia de Reis simboliza a tentação, mas também representa a sabedoria popular, a alegria e o prazer da criançada, e recita divertidos versos improvisados:

Sou palhaço de folia, porque eu gosto de ser

Espantar a criançada é o meu maior prazer

Faço verso na mazurca, mas a chula vem primeiro

Eu sou bom no pula-pula, mas só se jogar dinheiro

Pois é muito ruim ser pobre, ajudante de pedreiro
Senta o pau, sanfoneiro

A folia que eu mais gosto é a do mês de fevereiro
Que tem samba, carnaval e mulher à revelia
Mas não encontro nenhuma pra ser minha companhia
Porque eu dou logo a dica
Pra subir no meu poleiro
Tem que ser viúva rica ou filha de fazendeiro

Diz um dito popular que é muito verdadeiro
Rico se casa com rica pra juntar o capital
Pobre se casa com pobre, pra viver pra sempre mal
É por isso que eu digo
Quero o meu filão primeiro
Se não acho um bom abrigo, prefiro viver solteiro

Nesta roda só tem rico, pois estão de mãos fechadas
Quando um rico fecha a mão, não adianta fazer nada
Vou saindo de fininho, junto com meus companheiros

Eu vou lá pro outro lado

Vamos nessa, sanfoneiro

Vem comigo, meu parceiro

Vou dar um pulo certeiro

Quem trabalha, quer dinheiro.

Entre a declamação dos versos, o palhaço dançava pulando e os assistentes se divertiam atirando-lhe moedas.

As folias saem no Dia de Natal e se apresentam diariamente até o Dia dos Santos Reis.

O famoso comerciante contribuía financeiramente com a festa de encerramento, realizada após o Dia de São Sebastião, com comedoria e um arrasta-pé ao som de sanfona.

Essa história de vida é verídica para uns e lendária para outros. Lenda é uma narrativa de imaginação popular. E bacalhau? É peixe, não é?

Esta pergunta pode ser respondida parodiando uma cantiga de roda do tempo em que as crianças rodopiavam de mãos dadas e, às vezes, substituíam o "caranguejo" pelo "bacalhau":

"Bacalhau não é peixe, bacalhau nem peixe é, bacalhau só é peixe lá no fundo da maré".

CAPÍTULO
XXX

Todas as escolas de samba têm, ou tiveram, uma primeira-dama reconhecida pelos componentes e, mesmo se o mandatário, que faz reuniões de sambistas para manter a escola unida, organizando animadas rodas de samba, for um poderoso contraventor, ele a respeita e prestigia, levando em consideração o seu passado histórico. As damas tradicionais, em períodos difíceis das suas agremiações, normalmente promoviam rodas de samba regadas de comidas, bebidas e boas conversas.

DAMAS DO SAMBA

Dona Zezé e Dona Neném são legítimas representantes da Acadêmicos do Salgueiro, assim como foram as saudosas Dona Zica e Dona Neuma na Estação Primeira de Mangueira.

Há uma grande diferença entre a primeira-dama de uma escola de samba e a de um país. Esta tem a titulação somente por ser esposa de um presidente da república ou de dirigente máximo de uma nação sob qualquer regime político, e a sambista, para ser assim considerada, tem que se dedicar à sua escola, destacando-se das demais por exercer, com naturalidade, uma liderança. É o caso da Dona Ivone Lara na Império Serrano.

Dona Ivone foi da Ala de Compositores da Verde e Branco de Madureira e é autora, em parceria com Silas de Oliveira e Bacalhau, do antológico samba-enredo *Cinco Bailes na História do Rio*:

Carnaval/Doce ilusão/Dê-me um pouco de magia/De perfume e fantasia/E também de sedução/Quero sentir nas asas do infinito/Minha imaginação/Eu e meu amigo Orfeu/Sedentos de orgia e desvario/Cantaremos em sonho/Cinco bailes da história do Rio/Quando a cidade completava vinte anos de existência/Nosso povo dançou/Em seguida era promovida a capital/E a corte festejou/Iluminado estava o salão//Na noite da coroação/Ali/No esplendor da alegria/A burguesia/Fez sua aclamação/Vibrando de emoção/Que luxo, a riqueza/Imperou com imponência/A beleza fez presença/Comemorando a

Independência/Ao erguer a minha taça/Com euforia/Brindei aquela linda valsa/Já no amanhecer do dia/A suntuosidade me acenava/E alegremente sorria algo acontecia/Era o fim da monarquia.

Todas as escolas de samba têm, ou tiveram, uma primeira-dama reconhecida pelos componentes e, mesmo se o mandatário, que faz reuniões de sambistas para manter a escola unida, organizando animadas rodas de samba, for um poderoso contraventor, ele a respeita e prestigia, levando em consideração o seu passado histórico. As damas tradicionais, em períodos difíceis das suas agremiações, normalmente promoviam rodas de samba regadas de comidas, bebidas e boas conversas.

É uma maravilha o Pagode da Tia Surica, roda de samba organizada pela Iranides Ferreira Barcelos, a Surica da Portela.

Uma das características das damas do samba é serem excelentes cozinheiras, particularmente de feijoada, iguaria que faz parte da história do samba. Paulinho da Viola cantou:

Domingo, lá na casa do Vavá

Teve um tremendo pagode

Que você não pode imaginar

Provei o famoso feijão da Vicentina

Só quem é da Portela é que sabe

Que a coisa é divina

Tinha gente de todo lugar

No pagode do Vavá.

Filomena, de Vila Isabel, cozinheira de mão cheia, *kizombeira* e *quezumbeira*, conhecida como Dona Filó, foi cantada em um samba:

Ô, Filomena! Eu trouxe a família pra almoçar. Estou na colina e não tenho hora pra voltar. Posso arrumar a mesa e ajeitar o quintal pro pagode. Chegou o banjo, hoje vai ter sacode. Rolou boato que a comida é mineira, vai ter bife de panela com polenta e aipim. Quero provar o jiló e a berinjela, tô sem pressa, sou assim. Reserva o gás pro novo fogão, porque o pagode vai rolar a noite inteira. A feijoada já está no caldeirão. Não adianta, eu não vou fazer dieta. Na sobremesa traço o que tiver na mesa, a comida da Filó é a minha predileta. A graça divina abençoou seu paladar, o cheiro subiu pro céu, quem já foi vai retornar. A graça divina, Filó, abençoou seu paladar. Ó meu Deus, chama Noel pra provar também dessa comida, cozida em Vila Isabel.

Muitas mulheres foram presidentes de escolas de samba. Com destaque, Terezinha Montes na Unidos do Cabuçu, Elizabeth Nunes e Regina Celi no Salgueiro, Pildes Pereira e Tia Beta na Unidos de Vila Isabel...

Lícia Maria Maciel Caniné, a Ruça, entrou para a história da Vila como a "Presidente Campeã do Centenário da Abolição", com o enredo *Kizomba, a Festa da Raça*.

Em São Paulo, Angelina Basílio e Solange Bichara foram vitoriosas com a Rosa de Ouro e Mocidade Alegre, respectivamente.

O acadêmico Sérgio Fonta, membro da Academia Carioca de Letras e responsável pela edição da Revista Acadêmica, perguntou a um confrade:

— Quem foi a maior dama do samba de todos os tempos?

Pensou, pensou...

— Não sei dizer.

— E do tempo atual?

— Da atualidade, eu sei. É Tia Surica.

Ela é componente do famoso grupo da Velha Guarda da Portela, formado por defensores do "samba de raiz". Cantora de voz forte, esta dama do samba puxou, em desfile, um dos grandes hinos da Azul e Branco de Madureira, o gigantesco, belo e harmonioso *Memórias de Um Sargento de Milícias:*

Era no tempo do rei quando aqui chegou um modesto casal, feliz pelo recente amor. Leonardo, tornando-se meirinho, deu a Maria Hortaliça um novo lar e um pouco de conforto e de carinho. Dessa união nasceu um lindo varão que recebeu o mesmo nome de seu pai, personagem central da história que contamos neste carnaval. Mas um dia, Maria fez a Leonardo uma ingratidão, e mostrando que não era uma boa companheira, provocou a separação. Foi assim que o padrinho passou a ser do menino tutor, a quem deu imensa dedicação, sofrendo uma grande desilusão. Outra figura importante de sua vida foi a comadre parteira popular. Diziam que benzia de quebranto a beata mais famosa do lugar. Havia nesse tempo, aqui no Rio, tipos que devemos mencionar: Chico Juca era mestre em valentia e por todos se fazia respeitar; e o reverendo, amante da cigana, preso pelo Vidigal, o justiceiro, homem de grande autoridade que à frente dos seus granadeiros era temido pelo povo da cidade. Luisinha, primeiro amor que

Leonardo conheceu e que dona Maria a outro como esposa concedeu, somente foi feliz quando José Manuel morreu. Nosso herói, novamente se apaixonou quando, com sua viola, a mulata Vidinha esta singela modinha contou:

Se os meus suspiros pudessem aos seus ouvidos chegar

Verias que uma paixão tem poder de assassinar

Graças a este samba, muita gente leu o romance do carioca genial Manoel Antônio de Almeida.

Um detalhe interessante: todas as primeiras-damas citadas são negras e, ao se falar delas, rola uma emoção.

Quanto a brancas, esposas de presidentes de escolas de samba ou de políticos, será que emocionam ao desfilarem em carros alegóricos com suas ricas fantasias?

CAPÍTULO XXXI

Em longa reunião com a Comissão de Carnaval, acordaram que a diretoria abriria mão do direito de escolha e convidaria um júri neutro formado por um poeta, um jornalista, um radialista e um professor de português, sob a presidência de um membro da Academia Carioca de Letras, encarregado de dar o voto de minerva em caso de empate.

A BATALHA DO SAMBA-ENREDO

Morteiros estrondam no ar, espantando cães dorminhocos. No terreiro de ensaios, os olhares são abertos para o céu escuro pontilhado de clarões e brilhos coloridos. É o ensaio que vai começar.

Feito o esquenta da bateria, concluído com um rufo estremecedor, o puxador solta a voz potente, interpretando sambas de terreiro. Baianas gingam e rodam enfileiradas, os mestres-salas e as porta-bandeiras se exibem... Outros fogos de menor potência anunciam o início do concurso para o samba-enredo, cujo tema é Primavera, a Estação das Flores.

Um mês antes, o carnavalesco foi à reunião da Ala de Compositores dar explicações sobre o enfoque que daria ao tema. Uma mesma história pode ser abordada de diversas maneiras. Por exemplo, ele havia pensado em enfocar os acontecimentos de um determinado período primaveril. Recuou e decidiu por uma apresentação leve e romântica. O samba não deveria ser de embalo, sem necessidade dos repetitivos refrões. O objetivo era emocionar o público alegremente, disse.

Vinte sambas foram compostos. No ensaio do sábado seguinte, apenas uma mostra cantada duas vezes, sem competição. No consequente, 10 foram apresentados e 6 eliminados. Dos outros 10 disputados, uma semana depois, mais meia dúzia foi cortada, ficando 8 concorrentes para a terceira disputa e, nesta, mais 4 desclassificados. Na semifinal, dois se destacaram e foram pra a grande decisão, difícil para a diretoria e para a Comissão de Carnaval, ora tendentes para um, ora para outro.

Em longa reunião com a Comissão de Carnaval, acordaram que a diretoria abriria mão do direito de escolha e convidaria um júri neutro formado por um poeta, um jornalista, um radialista e um professor de português, sob a presidência de um membro da Academia Carioca de Letras, encarregado de dar o voto de minerva em caso de empate.

Os intelectuais convidados sugeriram que cada um dos sambas fosse cantado quatro ou cinco vezes, fizessem um intervalo e, depois, outra rodada igual. Então dariam o veredicto.

Atendidos, aplaudiram muito os dois sambas na primeira rodada e comentaram entre si no interregno: "Que sambas lindos!"

Na segunda apresentação, ouviram impassíveis o samba inspirado no Jaguarão, compositor da E. S. Filhos do Deserto do Morro da Cachoeira Grande, que se fundiu com a Flor do Lins da Cachoeirinha para formar a Lins Imperial.

Olhai a natureza nas campinas, esse Brasil de flores mil, esta beleza tão divina que enfeita um fabuloso jardim. Olhai os lírios nos campos, o cintilar dos pirilampos e o bailado das flores em fantasias multicores. Tudo isso que estás vendo faz a gente viver feliz. É a natureza oferecendo um grande presente ao nosso país. Pétalas soltas pelo chão sob um pé de flamboaiã. Um aroma que é sedução a perfumar o raiar da manhã. Manacás, hortênsias, violetas, cravos, malmequeres, bogaris... Onde um bando de borboletas faz os seus charivaris.

Primavera em flor. Em alta madrugada, um lindo sonho de amor nos braços da nossa amada.

O primeiro a ser apresentado empolgou os componentes, alguns empunhando bandeirinhas com o nome do compositor. Aplausos no final.

Logo que o segundo samba, baseado em criação do magnífico compositor Nelson Sargento, da E. S. Estação Primeira de Mangueira, começou a ser puxado, outras bandeirolas erguidas balançavam também com a graça do autor.

Brilha no céu o astro-rei com fulguração

Abrasando a terra e anunciando o verão

Outono, estação singela e pura,

É a pujança da natura dando frutos em profusão

Inverno, chuva, geada e garoa

Molhando a terra preciosa e tão boa

Desponta a primavera triunfal!

São as estações do ano

Num desfile magistral

A primavera, matizada e viçosa,

Pontilhada de amores,

Engalanada, majestosa

Desabrocham as flores

Nos campos, nos jardins e nos quintais

A primavera é a estação dos vegetais

Ó primavera adorada, inspiradora de amores!

Ó primavera idolatrada, sublime estação das flores!

Durante a semana, a escolha do hino encheu as bocas dos moradores do Morro dos Micos Dourados, dividido por uma rua que atravessava a comunidade, sendo um lado chamado Mico do Sol e o outro, Mico da Lua.

Não discutiam se um samba era melhor ou quem seria o vencedor. Os bate-bocas eram devidos a um casal pegado no flagra aos beijos num cantinho escuro atrás de um barraco e eram de famílias que não se davam. A mãe da moça arrastou a filha por um braço xingando o rapaz de "safado, abusado, sem vergonha"... O rapaz, em altos brados, respondeu: "safada é a senhora que bota chifre no marido com meu tio!"

Um escândalo!

O grito do alcaguete ecoou e se espalhou por todos os cantos, com ressonância do Mico do Sol ao Mico da Lua.

Já era sábado. O dito chifrudo, auxiliar de pedreiro, fez serão na obra até o início da noite. Chegou em casa e imprensou a mulher, que jurou ser calúnia.

— Vou averiguar, se for confirmado, não farei nada com o safado, volto aqui e boto você pra fora de casa, pelada. Essazinha aí, que estava de sacanagem com pilantra inimigo da nossa família, vai pro olho da rua também.

Pegou o revólver e saiu a procura do rapaz. Não encontrou. Já havia ido para o terreiro da escola, localizada no pé do morro, onde haveria a disputa do samba enredo.

O pau vai quebrar, uns diziam. Que nada! Só vai rolar bate-boca, nunca houve briga na quadra, disse alguém.

Os dois lados da comunidade convivem em harmonia, embora cada um puxe o cordão umbilical para o seu lado e os componentes estavam tensos porque o compositor João da Norina morava no Mico da Lua e o seu adversário, Zé da Lurdinha, no Mico do Sol.

Antes de ser anunciada a decisão, o presidente chamou os dois compositores concorrentes para o seu "camarote" e agradeceu a colaboração com as belas obras. Afirmou que, se o regulamento permitisse, começaria o desfile com um e emendava no outro. Aí, surpreendentemente, 10 homens armados adentraram, com dois à frente, encapuzados, portando armas pesadas. Os componentes foram saindo de fininho e alguns, assustados, deram nos pés depressa, pelo portão dos fundos. Dois membros do Júri se mijaram, um se cagou. Além deles, só ficaram os diretores e os membros da Velha Guarda, inclusive duas baianas idosas, o João da Norina e o Zé da Lurdinha, os compositores.

Um dos encapuzados se aproximou do presidente, pediu desculpa pelo transtorno e, curioso, quis saber quem ganhou. Era o chefe das bocas de fumo e coca dos dois lados do Morro dos Saguis, Mico da Lua e Mico do Sol. Não tinha preferência por algum dos sambas, nem pretendia acabar com o ensaio. Soube que tinha gente armada discutindo e queria evitar uma tragédia, o que não era bom para o seu negócio.

O presidente pegou o microfone, soltou umas palavras preliminares de agradecimento aos compositores e fez o anúncio. Quase não se ouviu o nome do vencedor porque, imediatamente, o traficante detonou sua metralhadora e seguiu-se uma salva de tiros para o ar de fuzis potentes, revólveres e pistolas de grossos calibres.

Balas de traçantes riscaram o céu como estrelas.

CAPÍTULO XXXII

É de gargalhar ver os homens rebolarem para atingir melhor velocidade. Provocam risos também o vai e vem dos minguados bumbuns das gringas, nem todas, pois há algumas de traseiros bem interessantes.

O SONHO OLÍMPICO

É agosto, a gosto, muitos gostos, nada de desgostos.

As atenções do mundo inteiro estão voltadas para o Brasil e está em jogo o prestígio internacional do Rio de Janeiro, que organiza o "maior espetáculo da terra", o Carnaval Carioca, e, agora, sedia as Olimpíadas.

Também está em jogo o título de "Rio, Cidade Maravilhosa", que o município ainda mantém, apesar dos pesares. Causou estranheza a primeira competição da Olimpíada Rio 2016 ser realizada fora da cidade-sede, a dois dias da cerimônia de abertura e antes de ser acesa a pira olímpica.

A escolha do Rio deixou os cariocas eufóricos, ainda mais sorridentes e sonhadores. Finalmente, a Baía de Guanabara vai ser despoluída, diziam alguns. Outros acreditavam que a Lagoa Marapendi também ficaria com suas águas cristalinas.

Graças às exigências do Comitê Olímpico Internacional, com promessas de serem cumpridas, túneis foram abertos, novas vias criadas e, com a linha do metrô, o caótico trânsito da Barra não teria mais os engarrafamentos corriqueiros. Construída uma pista de ciclismo ligando o Leblon à Barra da Tijuca e batizada de Tim Maia, que é infinitamente mais problemática do que foi o homenageado.

Todas as competições são interessantes. Algumas bem divertidas. A mais hilária é a marcha atlética masculina. É de gargalhar ver os homens rebolarem para atingir melhor velocidade. Provocam risos também o vai e vem dos minguados bumbuns das gringas, nem todas, pois há algumas de traseiros bem interessantes. Os seguranças têm que cuidar para que algum maluco não invada a pista e agarre uma delas, como fez um ativista com o nosso Vanderlei Cordeiro na maratona de Atenas em 2004. Lembram-se?

Em meio ao entusiasmo dos organizadores locais, entrou na pista a interrogação "será?", com muitos "quês":

Será que vai ficar pronto isso? Será que concluirão aquilo? Será que vai haver Olimpíada? Será que vai ter ação terrorista?

E o que era motivo de júbilo foi se transformando em tensão. Com os receios, a euforia diminuiu, os sorrisos se fecharam, a autoestima baixou, os sonhos aconteciam nebulosos e falsos, como o poema de Drummond, *Sonho de Um Sonho*:

Sonhei que estava sonhando/e que no meu sonho havia/um outro sonho esculpido./Os três sonhos sobrepostos/dir-se-iam apenas elos/de uma infindável cadeia/de mitos organizados/ em derredor de um pobre eu./Eu que, mal de mim, sonhava.// Sonhava que no meu sonho/retinha uma zona lúcida/para concretar o fluido/como abstrair o maciço./Sonhava que estava alerta,/e mais do que alerta, lúdico,/e receptivo, e magnético,/e em torno de mim se dispunham/possibilidades claras,/e, plástico, o ouro do tempo/vinha cingir-me e dourar-me/para todo o sempre, para/um sempre que am-

bicionava,/mas de todo o ser temia.../Ai de mim, que mal sonhava.//Sonhei que os entes cativos/dessa livre disciplina/ plenamente floresciam/permutando o universo/uma dileta substância/e um desejo apaziguado/de ser um ser com milhares,/pois o centro era eu de tudo,/como era cada um dos raios/desfechados para longe,/alcançando além da terra/ignota região lunar,/na perturbadora rota/que antigos não palmilharam/mas ficou traçada em branco/nos mais velhos portulanos/e no pó dos marinheiros afogados em alto mar.// Sonhei que meu sonho vinha/como a realidade mesma./ Sonhei que o sonho se forma/não do que desejaríamos/ou de quanto silenciamos/em meio a ervas crescidas,/mas do que vigia e fulge/em cada ardente palavra/proferida sem malícia,/aberta como uma flor/se entreabre: radiosamente.// Sonhei que o sonho existia/não dentro, fora de nós,/e era tocá-lo e colhê-lo,/e sem demora sorvê-lo,/gastá-lo sem vão receio/de que um dia se gastara.//Sonhei certo espelho límpido/com a propriedade mágica/de refletir o melhor,/sem azedume ou frieza/por tudo que fosse obscuro,/mas antes o iluminando,/mansamente o convertendo/em fonte mesma de luz./Obscuridade! Cansaço!/Oclusão de formas meigas!/Ó terra sobre diamantes!/Já vos libertais, sementes,/germinando à superfície/deste solo resgatado!//Sonhava, ai de mim, sonhando/que não sonhara... Mas via/na treva em frente ao meu sonho,/nas paredes degradadas,/na fumaça, na impostura,/no riso mau, na inclemência,/na fúria contra os tranquilos,/na estreita clausura física,/no de-

samor à verdade,/na ausência de todo amor,/eu via, ai de mim, sentia/que o sonho era sonho, e falso.

Sem mais sonhar, nas mesas de restaurantes, os negativos vaticinavam que sediar os jogos era "a maior furada" e que não nos restaria nenhum legado.

Comentava-se a contenda entre a Rússia e a Agência Mundial Antidoping, que queria banir os atletas russos das Olimpíadas. Dizia-se que era uma ação de cartolas políticos para aumentar as chances da hegemonia esportiva ocidental.

Os adeptos do pensamento fascista bradavam: "os 'comunistas' têm de ser eliminados!", sem se importar se os atletas, que se prepararam por quatro anos para participar das Olimpíadas, estariam alijados, pagando assim, sem culpa, pela desonestidade dos conterrâneos, atletas do passado, que aceitaram o doping. Ainda bem que o COI, lucidamente, interveio a tempo.

Sem os medalhistas russos, as conquistas dos outros não teriam relevância.

Abraçando o positivismo, pensei: "o evento é de grande importância, sim. Se não deixar nenhum legado concreto, vai ficar o pensamento olímpico. 'Ninguém vence na vida sem esforço, disciplina e perseverança', máxima determinante que penetrará no inconsciente da nossa juventude." Só pensei. Não falei, porque minhas palavras se perderiam no ar de tanto pessimismo que quase me contagiou. Botei minha barba de molho, fazendo planos de cair fora, ir pra longe. Plano desfeito ao lembrar da emoção de ter carregado a Tocha Olímpica.

O Cristo Redentor não dormiu e tudo deu certo.

A festa de abertura, organizada por uma carnavalesca ligada a uma escola de samba, foi fantástica.

Viva Rosa Magalhães!

CAPÍTULO
XXXIII

Era o ano de 1980. Nas escolas adversárias, era voz corrente que o samba não ia emplacar. Se emplacasse, a Vila ia ser desclassificada por ordem superior, diziam. O Brasil estava ainda sob a ditadura militar, porém com o presidente Ernesto Geisel acenando para uma lenta abertura política e a censura começava a ser mais tolerante.

SAMBA E LITERATURA

Ao ler a história do fundador da Academia Brasileira de Letras, Joaquim Maria Machado de Assis, para criar um samba enredo, um compositor se identificou com o escritor, ao ficar sabendo que Machado fora um habitante de morro, preto como ele e sua mãe, Dona Maria Leopoldina, uma lavadeira de roupas como a genitora dele. Na composição do samba, citou algumas obras de Machado (*Quincas Borba, Esaú e Jacó, A Mão e a Luva, Ressurreição*), peças literárias nas quais o compositor jamais havia deitado os olhos.

Inspirado por Apolo, deus da música na mitologia grega, criou o samba para o desfile:

Um grande escritor do meu país está sendo homenageado: Joaquim Maria Machado de Assis, romancista consagrado, nascido em 1839, lá no morro do Livramento. A sua lembrança nos comove, seu nome jamais cairá no esquecimento. Já faz tantos anos faleceu o filho de uma humilde lavadeira que, no cenário das letras, escreveu o nome da literatura brasileira. De Dom Casmurro foi autor, da Academia de Letras foi sócio-fundador, depois ocupou a Presidência, tendo demostrado grande competência. Ele foi o literato-mor. Suas obras lhe deram reputação: Quincas Borba, Esaú e Jacó, A Mão e a Luva, A Ressurreição... Ele tinha Inspiração absoluta, escrevia com singeleza e graça. Foi sempre uma figura impoluta, caráter sem jaça.

Os carnavalescos não faziam sinopses e, para criar os chamados hinos, os compositores tinham que ir a bibliotecas e, assim, tiveram os primeiros contatos com os livros. A biografia foi a sua primeira obra lida por inteiro e, como muitos sambistas, passou a se interessar pela literatura. Já leu quase todos os títulos do autor de *Dom Casmurro* e admira, preferencialmente, os romances do "Bruxo do Cosme Velho".

Várias obras literárias já foram tema de desfile de escola de samba.

A Portela, há muitos anos, teve como enredo *Memórias de um Sargento de Milícias*, de Manuel Antônio de Almeida, e a Vila já apresentou *Invenção de Orfeu*, do poeta alagoano Jorge de Lima. A letra, a obra-prima de Irani Olho de Gato, Rodolfo de Souza e Paulo Brasão, pode ser lida como um texto poético:

Ilhado na imaginação, que mar de fantasia! O poeta vai contando estórias tão sem história, de tristeza e alegria. No seu veleiro sem vela, peixe que voa, ave que é proa. Tem o barão, triste barão, um homem sem reinado. Tem girassol reluzente, tem leão rei coroado. Navegando, navegando... Navegando sem parar, dedilhando sua lira, fazendo o vento cantar. Em seus devaneios, imagens diferentes: cavalo todo de fogo. Mulheres metade serpente. Nesta ilha inventada, procurando sua amada, seu candelabro astro-rei e a mulher imaginada. Desperta então o poeta clamando Orfeu. Uma luz nas trevas se acendeu. Mentira pra quem não crê, milagre pra quem sofreu.

A Unidos de Vila Isabel também desfilou cantando "Sonho de um sonho", inspirado no livro A Rosa do Povo, de Carlos Drummond de Andrade, um samba que pode ser declamado como um conto poético:

Sonhei estava sonhando um sonho sonhado, o sonho de um sonho magnetizado. As mentes abertas sem bicos calados, juventude alerta, os seres alados. Sonho meu! Eu sonhava que sonhava. Sonhei que eu era o rei que reinava como um ser comum. Era um por milhares, milhares por um, como livres raios riscando os espaços, transando o universo, rompendo os mormaços. Ai de mim! Ai de mim que mal sonhava! Na limpidez do espelho só vi coisas limpas como uma lua redonda brilhando nas grimpas e um sorriso sem fúria, entre réu e juiz, a clemência e a ternura, puro amor na clausura, a prisão sem tortura, inocência feliz... Ai, meu Deus! Falso sonho que eu sonhava. Ai de mim! Eu sonhei que não sonhava, mas sonhei.

O poeta manifestou sua aprovação em um bilhete mandado ao compositor.

Era o ano de 1980. Nas escolas adversárias, era voz corrente que o samba não ia emplacar. Se emplacasse, a Vila ia ser desclassificada por ordem superior, diziam. O Brasil estava ainda sob a ditadura militar, porém com o presidente Ernesto Geisel acenando para uma lenta abertura política e a censura começava a ser mais tolerante. A Escola desfilou aguerrida e o emocionante samba contagiou o público.

De volta à casa, o compositor dormiu tranquilo. Despertado para atender uma ligação, respondeu sonolento e impaciente:

— Alô! Sai falando!

— Parabéns pelo belo desfile. Gratidão!

— Quem fala?

— Drummond, Carlos de Andrade.

— Valeu! E eu sou Viana Drummond, o Barão.

CAPÍTULO XXXIV

A doméstica, ao saber que o ator era conferencista, lembrou, sem comentar, da vez em que, por insistência do cônjuge, o acompanhou a uma palestra que este proferiu na Faculdade de Letras, cujo tema era *A Influência da Poesia e da Música na Vida das Pessoas*.

LETRA, MÚSICA E POESIA

— Mulher! Amanhã é aniversário de um amigo e vai ter uma reuniãozinha com comes e bebes. Provavelmente, estarão lá camaradas antigos. Gostaria de ir com você. Com toda a certeza os convidados vão com suas esposas, vai comigo? É um pedido.

— É amizade de infância, de escola, do trabalho ou do futebol *soçaite*?

— Alguns são colegas do tempo de Faculdade.

A convidada, ainda apaixonada apesar dos tantos anos de casamento, o acompanhava com prazer para onde fosse, menos para encontros de intelectuais ou conferências que ele fazia, porque tinha pouca cultura para se interessar pelos assuntos abordados. Caseira, calculou que a roda seria de intelectuais, porém, devido à voz doce ao fazer o invite, aquiesceu.

Era de pouca conversa e quase não abriu a boca na reunião. Um casal de artistas convidados chegou por último na festinha: ele, conceituado ator, ela, mediática atriz, e, logo, as mulheres se acercaram da estrela.

Coitada! Perguntavam se conhecia o artista tal, a cantora que participou do último capítulo da novela das oito, se gostava de se ver na tela e outras tantas curiosidades. Só uma não inquiriu, mas comentou sobre uma cena picante e disse que, se o esposo fosse ator, não o permitiria e a amiga disse que, se fosse atriz, o marido dela é que não permitiria. É demasiadamente ciumento. Indiscretas, revelaram que, em conversas entre amigas, todas acreditam que os atores acabam se envolvendo, não com um sentimento amoroso, mas de desejos provocados pelas cenas vividas. Com certeza esperavam negação ou confirmação.

A atriz as frustrou com um silêncio intrigante. Talvez tenha tomado o comentário como ofensa. Nem se preocupou em clarear que o ator em sua companhia era colega de pura amizade.

Os homens ficaram de papo com o astro sem fazer perguntas inconvenientes sobre a sua relação com as estrelas. No entanto, incomodavam-no com excessivos elogios. Houve até exaltação, com admiração exacerbada, do bom desempenho nas suas atividades fora dos holofotes. Além de ator, era psicólogo, escritor e eloquente palestrante.

A mulher, ao saber que o ator era conferencista, lembrou, sem comentar, da vez em que, por insistência do cônjuge, o acompanhou a uma palestra que este proferiu na Faculdade de Letras, cujo tema era *A Influência da Poesia e da Música na Vida das Pessoas*.

Atenciosa à fala do marido, de início com admiração, foi se arrependendo de ter ido. Passou por momentos alternados de orgulho, decepção, vergonha, raiva...

A admiração foi causada porque o esposo começou dizendo que a música erudita faz muito bem à cabeça, a popular atua também nos corpos de quem a ouve, em particular a africana, muito excitante e quase sempre ligada às tradições.

O sentimento de decepção a invadiu ao ouvi-lo se referir ao conservadorismo, frisando que, na sua opinião, alguns costumes poderiam ser abolidos, inclusive as cafonas cerimônias de casamento religioso, ritual ao qual ele mesmo também se submeteu.

Envergonhou-se com a opinião dele de que muitas tradições deveriam ser mantidas, como a poligamia, que era permitida na maioria dos países africanos, onde quanto mais mulheres se tivesse, mais poderoso seria o homem. Algumas africanas sedutoras também conseguiram ter vários maridos, como a poliandra Rainha Ginga de Angola. Seguiu dizendo que, embora seja um admirador de sons eruditos, gostava de uma música popular na qual o cantor declara "já tive mulheres de todas as cores, de várias idades, de muitos amores...". Seguiu pregando que fidelidade não é importante e não tem relevância a ausência de experiência sexual antes do casamento. "Todas as mulheres deveriam ter passado pelas mãos de homens de boas cabeças, desequilibrados, confusos, de guerra e de paz", contradizendo o autor da música, mas afirmou que a maioria das mulheres tem uma contida volubilidade e que, por natureza, os homens são, conscientemente ou não, junguianos.

— Junguiano? Alguém interrogou.

— São os seguidores de Carl Gustav Jung, psiquiatra que desenvolveu a Psicologia Analítica, foi casado com Emma Rauschenbach e, segundo sua biógrafa, Deidre Bair, teve muitas amantes, quase todas pacientes que ele seduzia. Com algumas, manteve ligações permanentes. Sabina Spielrein foi uma delas. Com Tony Wolff, viveu um concubinato, com anuência de Emma, a legítima. Tony era apresentada como sua segunda esposa. Saía de braços dados com as duas, que chegaram a conviver sob o mesmo teto.

Todo terapeuta junguiano no fundo é polígamo, mesmo que não pratique. Há uma canção que ratifica o dito. Versa sobre um homem apaixonado. Sua mulher o satisfaz completamente. A música escrita para ela é uma verdadeira declaração de amor de um polígamo fiel.

Recitou:

Amor! Se estamos juntos, tu és única, mulher. Os longos beijos que te dou, igual pra mais ninguém. És quem produz o sêmen que eu dou pra ti. Só tu me pões em transe pra gritar como ilá de Oxum. A tua sensualidade é que me faz viril e o meu polígamo instinto fica tão fiel. O teu orgasmo é poesia não metrificada. Exalas um cheiro, privilégio só de quem te amou e teus soluços põem o coração descompassado. Me faz um bem o teu astral, quando eu estou carente. A tua alma gêmea não tem par e porque és ímpar, pra ti fiz esta canção sem rima, pra te dizer o quanto és um sonho blue, mulher. E te falar que só tu és meu sonho azul, amor.

Aplaudido, continuou: muito em particular, confesso a vocês que sou apaixonado por três mulheres que mantêm os meus sentidos aguçados. Uma delas parece que foi criada para o deleite dos meus ouvidos. Não gosto se ela grita, mas quando suave, recebida pelas minhas orelhas, toca fundo no meu coração. Esta, quando bem-vestida, além de dar prazer aos ouvidos, faz bem também aos meus olhos. Às vezes, eu a confundo com uma outra adorável, que me encanta com seus atrativos. Elas se dão muito bem e eu gosto de vê-las juntas, fundidas numa só e, em silêncio, ouvi-las. Amo profundamente tanto uma como a outra. A terceira é a com quem transo menos. Ela é rica, sofisticada, complicada... Quase não se mistura. Recebo-a com mais amor quando me vem simples e bela.

Parte do público olhava para a esposa dele que, ruborizada, não sabia onde botar a cara. Estava sentada bem à frente, ladeada pelo reitor da universidade e pela diretora do teatro, que não a fitavam, encolhida e cabisbaixa por um tempo, até encher-se de coragem, levantar a cabeça e encarar fixamente o marido com um olhar de fogo. Se pudesse lançar raios com seus olhos, o fulminaria e ele, imperturbável, prosseguia com sua fala contundente. Fez uma breve interrupção e, como bom ator, ficou estático, correu os olhos na silenciosa plateia como se a estivesse examinando e concluiu surpreendendo a todos: não sei por qual das queridas sou mais apaixonado. Se pela minha adorável esposa que está aí me ouvindo ou se, igualmente, pelas minhas três amantes muito amadas: a música, a letra poética e a poesia. Muito obrigado.

CAPÍTULO XXXV

Manoel foi, encontrou Natália mãe. Quando os olhares se cruzaram, ambos sentiram um tremor sem saber o porquê, mas se contiveram. Conversa vai, conversa vem, chegaram à conclusão de que tiveram um colóquio no passado.

A FILHA DO PAPAI NOEL

A professora Natalina, diretora de uma creche de crianças carentes, dizia a todos que Papai Noel não existe e que a canção "Como é que Papai Noel / Não se esquece de ninguém / Seja rico ou seja pobre / O velhinho sempre vem" não é verdadeira, porque ela, na infância, muito pobre, viveu na roça, nunca recebeu a visita do velhinho e jamais ganhou um presente.

Apesar dos pesares, não nutria mágoas e cantava junto com seus alunos a canção de votos de felicidade ao bom velhinho:

Feliz Natal, Papai Noel/Que desce ao léu com seu trenó/ Trazendo um saco de emoções.//Meu desejo é só beleza para os olhos/ Alegria e belos sons para os ouvidos/Para as crianças, meu velhinho, bons desfrutes/E o olfato pra sentir leve odores// Muito tato pra lidar com os amores/Apurado paladar para os quitutes/Pro prazer sexual muita libido/E que a justiça seja nua e sem antolhos//Paz pros nossos corações/E um ano novo bem melhor/Sonhos de mel, Papai Noel/Feliz Natal.

A graça de Natalina, na verdade, é Natália, nome do qual ela não gosta porque remete à talha onde era decantada a água de moringa de barro que bebia na infância e na adolescência. Não tinha boas lembranças do seu torrão natal, uma cidadezinha do interior, sem luz nem água encanada. Um amigo dela, advogado, o Dr. Manoel, que os íntimos chamam de Noel, num dia 25 de dezembro, conforme o combinado, fantasiou-se de vermelho, colocou barba, bigode, peruca e foi entregar os presentinhos simples que a professora comprou com suas economias, mas ela, antes, frisou:

— Meus queridinhos! Papai Noel não existe. É apenas um homem alegre que gosta de crianças e veio aqui para divertir vocês.

O travestido de Papai Noel não gostou do que ela disse, mas não discordou. Com voz rouca, falou:

— A professora tem razão. Crianças não devem ser enganadas. É tudo brincadeira e eu me divirto também. Hô! Hô! Hô! Hô!

A meninada sorriu feliz. Num um outro dia, em conversa particular, Noel perguntou sobre a família da amiga.

— Eu sou filha de mãe solteira. Gostaria de conhecer meu pai, mas nem minha mãe sabe quem ele é.

— Como?

— Mamãe, jovem, teve um caso com um tal Nelinho, rapaz que foi passear na roça. Viveram uma aventura, seduziram-se. Os desejos foram consumados, Nelinho foi-se embora e ela ficou muito triste.

— Nunca mais se viram?

— Jamais. E minha mãe não sabia nada dele, nem mesmo o nome completo. Nelinho certamente é um apelido. Meses depois, descobriu que estava grávida. Meu avô ficou muito chateado, culpou a vovó pelo acontecido, quis castigar a filha, minha vó a defendeu, eles brigaram e se separaram. Vovô, envergonhado por ter uma neta solteira grávida, sumiu. Minha vovó adoeceu e morreu pouco depois. Tudo por culpa minha.

— Não se culpe, é o destino. Cada um tem o seu.

— O meu consolo é que a mamãe também diz isso. Criou-me sozinha e nunca reclamou, mas a minha infância foi sem presente de Natal. Papai Noel não apareceu para mim.

— A sua história é triste, mas você é uma vitoriosa. Conseguiu sair da roça e é uma professora, agora dirigente... Como conseguiu?

— Ah! É uma longa história. Um dia lhe conto.

— E sua mãe?

— Continua em... Sei lá, um cafundó. Tento trazê-la, mas ela não quer. Prefere ficar com os parentes.

— Estive naquele lugarejo uma vez, faz muitos anos. Tenho vontade de voltar. Está muito mudado?

— Que nada. Praticamente igual. Com certeza você gostará de rever. Vai. E se quiser conhecer minha mãe, é fácil. Ela tem o mesmo nome que eu. Basta perguntar a alguém, no interior todos se conhecem. Aproveita e dá notícias minhas. Diga que agora sou diretora da escolinha. Ela vai ficar contente.

Manoel foi, encontrou Natália mãe. Quando os olhares se cruzaram, ambos sentiram um tremor sem saber o porquê, mas se contiveram. Conversa vai, conversa vem, chegaram à conclusão de que tiveram um colóquio no passado:

— Poxa! Você foi embora sem se despedir e nunca mais voltou.

— É... Mas não a esqueci, tenho-a como uma boa lembrança. Mais de vinte anos se passaram e você continua linda.

— Que gentil! Obrigada! Você também está muito bonito. Um pouco mais gordo, ou melhor, forte e charmoso.

Novamente, envolveram-se. Manoel voltou lá apaixonado e retornou outras vezes sem falar a Natalina. No Dia de Natal, vestido de Papai Noel, chegou à creche com um enorme saco cheio de brinquedos e distribuiu.

A professora brincou, sorrindo:

— E eu continuo sem presente. Papai Noel, para mim, não existe mesmo.

— Nunca mais diga isso, minha filha. Eu sou Noel, o Nelinho, seu pai. Trouxe um presente pra você. Não só nos dias de Natal, dar-lhe-ei muitos mimos. Tem mais: vou casar com a sua mãe.

Viva o Papai Noel!

CAPÍTULO XXXVI

Discussões entre o casal não aconteciam, tratavam-se com gentileza e respeito. O bate-boca foi o estopim para outros mais contundentes. Não respondeu à última pergunta e o resultado foi a separação. Calado e irritado, quase soltou um palavrão. Estático, olhou para o teto, decidiu pegar umas poucas coisas e ir para um hotel.

MODERNAS FAMÍLIAS[1]

Com os ensinamentos passados nas primeiras lições do catecismo, conclui-se que o Nazareno formou uma outra Sacra Família, a dos doze apóstolos, todos irmanados e fiéis: André, Tiago (Filho de Zebedeu), João, Filipe, Bartolomeu, Tomé, Mateus, Tiago (Filho de Alfeu), Tadeu, Simão, Judas e Pedro, o que negou conhecer Jesus para se livrar de um castigo.

Familiares desunidos se uniram na primeira festa de aniversário da matriarca logo após a viuvez.

A filha foi a primeira a chegar com o marido, um filhinho que dava os primeiros passos, já grávida de novo, bem barrigudinha.

O filho chegou pouco depois, junto com o companheiro com quem vivia maritalmente.

A que foi nora da aniversariante, compareceu de braços dados com sua parceira, antes casada com o atual companheiro do filho, e a chama, carinhosamente, de "maridinha".

Ninguém apareceu usando vestes enlutadas.

No passado, em caso de falecimento do chefe da família, era quase obrigatório a viúva usar roupas pretas durante meio ano e os filhos também se enegreciam visualmente por alguns meses.

Unida à Genoveva, Conceição não chegou a conhecer os que foram seus sogros. Quando foi viver com Nogueira, com quem se casou e separou-se, os pais dele, José Bonifácio e Micaela dos Santos se divorciaram, tornaram-se amantes apaixonados, viajaram para a Europa e moram em Lisboa.

A história destes genitores é impressionante:

Apresentado por um amigo comum de dois, José Bonifácio, membro de família da alta sociedade, conheceu Sílvio dos Santos, um emergente bem-sucedido.

— Muito prazer! Sílvio, ao seu dispor. E esta é minha esposa Micaela.

O outro, como era de costume, disse a sua graça seguida de todos os sobrenomes, tentando impressionar. Nem sempre a impressão era boa. Em alguns círculos, passava a ser visto como pedante e perdia a oportunidade de fazer boas amizades. Assim fez, como fazia sempre:

— O prazer é todo meu! José Bonifácio Flores da Costa de Andrada e Silva, disse, apresentando a esposa Maria José da Silva, ao contrário do outro, de incomensurável quantidade de amigos.

Eram deveras diferentes:

O primeiro, emergente social muito bem-sucedido economicamente, mantinha a humildade de berço. Jamais falava "eu tenho isso, aquilo", embora possuidor de muitos bens. Tinha um filho que o ajudava a administrar os negócios.

O segundo, decadente, foi batizado com o nome do poeta luso-brasileiro José Bonifácio de Andrada e Silva, estadista que foi declarado oficialmente Patrono da Independência do Brasil, possivelmente seu parente muito distante.

A grande diferença entre eles, um decadente e o outro emergente, não os impediu de tornarem-se amigos.

A filha do segundo, nem bonita nem feia, nem sensual nem desprezível, era o que antigamente consideravam "prenda doméstica", um termo machista, pois as "prendas" são moças que sabem cozinhar e foram preparadas apenas para cuidar de uma futura casa, o que é cada vez menos comum, felizmente.

Silvio dos Santos sonhava em casar seu filho com Micaela, porque a moça era de família tradicional, o que daria para ele um bom status. José Bonifácio desejava o mesmo para o seu filho Boninho, devido à situação financeira da família dela.

Por influência dos pais, Boninho e Micaela acabaram namorando, transaram e casaram-se, ou melhor, foram induzidos ao casamento conveniente. Os nubentes viveram bem por uns poucos anos, mesmo sem um verdadeiro amor recíproco. Não tinham a mínima emulação, mas divorciaram-se por ciúmes infundados, causados por uma postagem de uma foto conjunta.

Micaela foi, sem a companhia do marido, a uma festinha *petit comité*, de aniversários de uma amiga. Fez de tudo para que ele a acompanhasse. Não pôde. Dirigia parte dos negócios do pai e havia marcado um jantar com um empresário.

Muitas fotos foram postadas e, em uma, todos estavam abraçados e ela estava ao lado de um rapaz que foi seu namorado, pelo qual não tinha mais nenhum sentimento saudoso. Ao revê-lo, apenas cumprimentou normalmente e não conversaram em particular.

Alegre e radiante na chegada à casa, foi recebida com frieza. Estranhou.

Bonifácio, desprovido de ciúmes, ao ver a foto, fechou os olhos e teve um tremelique tal qual um crente tomado por um espírito. De volta ao normal, ficou com uma pulga atrás da orelha.

— Ficou muito emocionada ao reencontrar aquele malfeitor, seu namoradinho de infância?

— Que calúnia! Francisquinho é uma boa pessoa. Não é malfeitor.

— É sim. Você mesma me disse que foi ele que lhe fez mal.

— Por falar nisso, no salão de cabeleireiros, eu conheci uma piranha que você pegava e ela, com expressão facial de desejo, teve a petulância de me perguntar por você. Está com saudade dela?

Discussões entre o casal não aconteciam, tratavam-se com gentileza e respeito. O bate-boca foi o estopim para outros mais contundentes. Não respondeu à última pergunta e o resultado foi a separação. Calado e irritado, quase soltou um palavrão. Estático, olhou para o teto, decidiu pegar umas poucas coisas e ir para um hotel. Lá, imediatamente contatou um advogado e entrou com um pedido de divórcio.

Em juízo, na audiência de reconciliação, cumprimentaram-se respeitosamente, sem demostrar rancores, porém deixando claro que não desejavam reconciliar.

Na partilha, coube à Micaela, como é de Lei, cinquenta por cento de tudo que foi adquirido durante a permanência, inclusive a mansão que habitavam e sua conta bancária que ficou rechonchuda.

Resolveu passar um tempo em Portugal e acabou ficando por lá.

Boninho, agora também em boa situação financeira, foi a Lisboa visitar uns parentes e, por coincidência, os dois se encontraram. Já haviam superado as desavenças resultantes da discussão causadora do desenlace e manifestaram alegria ao se encontrar.

Trocaram os contatos e, em conversa telefônica, falaram da cidade e da variadíssima culinária portuguesa, das sopas, dos bacalhaus, dos mariscos... Combinaram de ir a uma tasca petiscar e tomar umas taças de vinho. Como se diz em linguagem popular, pintou um clima entre eles, as mãos se entregaram a carícias delicadas, os lábios se encontraram e daí, beijinhos, beijos, beijões... Estes, comovidos e sedentos como jamais ocorreu nos tempos de casados.

---

[1] O conto *Modernas famílias* retoma trechos do conto *Simbora pra casa!* trazendo outras soluções do escritor.

CAPÍTULO XXXVII

O nosso sistema de cotas é aplicado, obrigatoriamente, somente nas universidades públicas. Se a Lei de Cotas fosse obrigatória nos Três Poderes, nós teríamos 20% de ministros não-brancos e o mesmo percentual nas Secretarias Estaduais e Municipais, o que, certamente, seria seguido por todos os setores da administração pública e influenciaria as empresas privadas a promover a inclusão racial.

MEU *FAZ-ME RIR*

Videoconferência. Amigos conversam descontraidamente, um deles fez uma pergunta: "será que vai haver carnaval?"

— Claro que vai. As escolas de samba não vão desfilar em fevereiro. As apresentações foram transferidas, sem data definida. O de rua ninguém segura.

— Eu vou mandar fazer um macacão bem espalhafatoso, meterei uma máscara diferente e cairei na farra.

— Eu vou me fantasiar de Bolsonaro com roupa de prisioneiro.

Aí, a conversa descambou para um assunto controverso, a política.

— Um executivo negro, gestor de uma fundação de apoio à negritude, em sua fala de posse, disse que os militantes do Movimento Negro deviam ser calados e que não há racismo no Brasil.

— Eu o defino como um preto de alma branca. É uma definição racista, mas no caso dele cabe. Age e fala como os brancos ignorantes.

— Gente deste tipo, ao subir alguns degraus na escala social, tornam-se piores do que os maus do seu novo ambiente. Envergonham-se da origem, dos amigos e não voltam ao subúrbio onde residiram. Querem distância dos parentes.

Há muitas pessoas não negras cujas ações, atitudes e comportamentos são de ativistas do movimento. Bom exemplo é o saudoso compositor Noel Rosa, branquinho e magricelo, foi um agente da inclusão do samba de compositores favelados nos eventos da classe média. No seu tempo, os da alta só frequentavam o Theatro Municipal ou se divertiam entre si em saraus particulares.

Com Noel, o samba desceu do morro, se espalhou pela cidade, conquistou a sociedade.

O Bando dos Tangarás, do qual participava, era só de brancos como ele e não colocavam sambas no repertório. Diziam ser música de gente de morro, coisa de pretos. Aí, Noel subiu colinas e fez parcerias com Cartola, Bide, Marçal, Ismael Silva e muitos outros e incluiu o ritmo no seu repertório nas apresentações em eventos musicais da classe dominante.

Não se pode afirmar que os integrantes do Bando dos Tangarás — Almirante (pandeiro e vocal), Braguinha (violão e vocal), Henrique Brito (violão) e Alvinho (violão e vocal) — eram racistas. As atitudes louváveis do Poeta da Vila contrariaram muita gente, inclusive seus familiares e, ao perceber críticas veladas dos companheiros dos Tangarás, respondeu com o samba Filosofia, com rogo de praga no final:

O mundo me condena, e ninguém tem pena

Falando sempre mal do meu nome

Deixando de saber se eu vou morrer de sede

Ou se vou morrer de fome

Mas a filosofia hoje me auxilia

A viver indiferente assim
Nesta prontidão sem fim
Vou fingindo que sou rico
Pra ninguém zombar de mim
Não me incomodo que você me diga
Que a sociedade é minha inimiga
Pois cantando neste mundo
Vivo escravo do meu samba, muito embora vagabundo
Quanto a você da aristocracia
Que tem dinheiro, mas não compra alegria
Há de viver eternamente sendo escrava dessa gente
Que cultiva hipocrisia.

Há uma grande diferença entre racismo e discriminação. O racismo é um crime, a discriminação é um preconceito.

Os Estados Unidos da América é um país claramente racista, mas não discrimina. Lá, negros competentes são nomeados para importantes cargos e os eleitores, de maioria branca, elegeram um presidente negro. É isso mesmo. O percentual de negros não dá para eleger o mandatário máximo, nem governadores ou prefeitos e muitos afrodescendentes foram eleitos para governar Washington e inúmeros já foram prefeitos de *New York*.

Embora o racismo campeie por aqui, o Brasil não é considerado um país racista, mas discriminador. Tanto é que, no nosso Poder Executivo, não há nenhum ministro negro, nem nos órgãos do primeiro escalão.

Todas as organizações do Movimento Negro têm como objetivo principal a participação nas decisões nacionais, ocupar espaços na administração do país e a segregação empregatícia é bandeira de todos os seguimentos.

Na maior nação da América do Norte, há negros em todos os setores graças às ações afirmativas e a política de cotas raciais. Há bancos, escolas e mais de cem universidades de maioria negra. Aqui só há uma, a Faculdade Zumbi dos Palmares, em São Paulo, onde o reitor, a diretoria e a maioria dos docentes e discentes são negros.

O nosso sistema de cotas é aplicado, obrigatoriamente, somente nas universidades públicas. Se a Lei de Cotas fosse obrigatória nos Três Poderes, nós teríamos 20% de ministros não-brancos e o mesmo percentual nas Secretarias Estaduais e Municipais, o que, certamente, seria seguido por todos os setores da administração pública e influenciaria as empresas privadas a promover a inclusão racial.

É procedente a tese de que a inclusão racial na sociedade é lucrativa para todos. Propicia a diminuição da pobreza, de assaltos pessoais e delitos menores, pois grande parte da população carcerária é formada por cidadãos que sofrem com a discriminação empregatícia e muitos, no desespero, roubam por necessidade.

Quando um desempregado arranja o que fazer, diz: "Oba! Vou ganhar o *faz-me rir*". No falar dos cariocas, a expressão *faz-me rir* é sinônimo de dinheiro.

Inspirada nisso, D. Ivone Lara fez um samba que diz assim:

Um sorriso negro/Um abraço negro/Traz felicidade/Nego sem emprego/Fica sem sossego/Negro é a raiz da liberdade.

A conversa entre amigos, lá de cima, pela internet, começou séria, descambou para a gozação das falas do presidente de uma fundação, passou para futebol, escolas de samba, carnaval... Separado da mulher, um disse que vai se esbaldar nas bandas e nos blocos. Cantarolou até um samba divertido, o *Que Bom*:

Que bom que eu posso cair na farra

Tô livre agora pra me esbaldar

Sair na Banda da Barra

Pular no Bloco da Kizomba

E na minha escola vou desfilar

Que bom!

Eu quero esquecer o amor

Que me sufocava demais

Agia como um feitor

Que oprimia meus ancestrais

Com a minha emoção reprimida

Eu achava o sufoco legal

Hoje só amizade colorida

E amor de carnaval

Que bom!

Por fim, ficaram lembrando de nomes engraçados de alguns blocos do carnaval do Rio: *Balança Meu Catete, Banda das Quengas, Sorri Pra Mim, Imprensa Que Eu Gamo, Desliga da Justiça, Encosta que Ele Cresce, Largo do Machado Mas Não Largo do Copo, Me Enterra na Quarta, Mulheres de Chico, Parei de Beber Não de Mentir, Se Não Quiser Me Dar Me Empresta* e *Só o Cume Interessa.*

CAPÍTULO XXXVIII

O casal era daqueles tradicionais como os do "tempo da vovó", em que o sexo era um tabu, e "menstruação", palavra obscena. Com mais de doze anos, a filha ainda acreditava na história da cegonha com um bebê no bico.

A CEGONHA

Pré-adolescente, em plena inocência, a menina senta-se no vaso para fazer xixi e nota que seus pelos cresceram. Havia visto a sua mãe se depilar. Pega a gilete de barbear do seu pai, levanta-se e começa a se depilar mirando-se no espelho. Concentrada, não sente a lâmina lhe ferir e, bem raspadinha, coloca o aparelho no lugar que estava, um suporte de plástico. Um filete de sangue escorre pelas suas coxas, passa a mão e dá um grito:

— Manhê! Me cortei.

Assustada, a mãe corre ao banheiro, nota que o sangue é do tom vermelho vivo como o líquido que sai de um corte e deduz que se trata de menstruação.

— Menstruação?

— Sim, filha. É um sangramento mensal também chamado de "regra" ou "incômodo". Eu já deveria ter lhe falado disso. Você inicia uma nova fase da vida. Está ovulando.

— Ovulando?

— Isso mesmo. Seu ovário está produzindo óvulos. Significa que, agora, há pouca diferença entre nós. Vai ter de usar absorvente, um objeto que contém o fluxo menstrual. Limpe-se e use o meu. Talvez lhe seja um pouco desconfortável.

Emocionada, ligou para o marido:

— Amor! Tenho uma notícia que não sei se vai deixar você feliz. Eu estou.

— Fala logo, mulher!

— Nossa filha não é mais uma criança. O Salgueiro pintou na avenida.

— Não estou entendendo.

— Ela está de chico.

— O que!?

— Menstruou.

— Que bonito! Estou muito feliz, mas ela vai ser sempre a minha criancinha. Vou comprar para ela uns presentinhos para comemorar.

O casal era daqueles tradicionais como os do "tempo da vovó", em que o sexo era um tabu, e "menstruação", palavra obscena. Com mais de doze anos, a filha não sabia nada sobra a prática sexual. Conhecia a palavra "sexo" apenas como sinônimo de vagina e ainda acreditava na história da cegonha com um bebê no bico. Quis saber de onde a ave pernalta a trouxe e perguntou:

— Mãe! Como foi que eu nasci?

A resposta não saiu da boca. Só conseguiu falar depois de tossir como quem desengasga e, titubeando, explicou:

Nós mulheres temos vulva e os homens, pênis. O seu pai introduziu o *bilu-bilu* dele na minha *pepeca*, despejou dentro de mim um líquido viscoso como leite condensado e fertilizou um ovinho que nós temos dentro do ovário.

O ovo se desenvolveu e virou um feto que também cresceu. Assim foi o início da sua vida.

— Como eu saí da sua barriga, foi vomitando?

— Não, filha. Pela vagina. Ela é elástica. O feto, de que falei, à medida que vai se desenvolvendo, faz nossa barriga crescer. Quando está grande é porque tem um bebê dentro. No nono mês, vai-se ao médico obstetra e ele faz o parto, ajudando a criança a sair. Depois, a barriga e a genitália voltam para o lugar, ou quase. Outro dia, volto a falar deste assunto.

— Vou me deitar um pouco, mãe. Estou cansada só de ouvir.

Foram demasiadas as informações para aquela cabecinha.

A menina tinha duas irmãs mais velhas. Com elas, tais assuntos nunca foram abordados pela mãe, souberam de tudo em conversas particulares com as colegas de escola.

O pai, jovial e alegre, gosta muito de cantar e é metido a poeta.

O mênstruo da filha ocorreu, ou escorreu, em dezembro, próximo do Dia de Natal e o pai, no lugar da boneca para a coleção da filha, chegou com mimos diferentes numa caixinha com batons, esmaltes, um frasco de água-de-colônia e um pacote de absorvente.

Amante dos livros, o genitor incutiu na filha o hábito da leitura e ela tinha uma coleção de livros infantis.

Entrou numa livraria com a intenção de comprar *O Menino Maluquinho*, do Ziraldo e, ciente de que a filha não era mais criança, adquiriu o *Vermelho Dezessete*, obra apropriada para adolescentes.

Ao chegar em casa, a filha dormia a sono solto e, silenciosamente, colocou os presentinhos sobre a mesinha de cabeceira, com uns versinhos:

Oitenta e dois, dezembro, dezessete

Pela terceira vez a história se repete

Desta vez com esta, a caçulinha

É minha filhotinha ficando mocinha

Que corre-corre! Que pula-pula!

É o Salgueiro que pintou na avenida

Mas que bonito! Ela já ovula

Daqui pra frente, marcas no papel

Todo o mês Salgueiro, todo o mês São Carlos

Todo o mês Unidos de Padre Miguel

Até que um dia não haja desfile, um sinal de vida.

Netinho ou netinha?

Pela vez terceira a história se repete

Oitenta e dois, dezembro, dezessete.

CAPÍTULO XXXIX

Aparentando tranquilidade, conversaram sobre vários assuntos até abordarem a situação delas, declaradamente apaixonadas. Eles também proclamaram que vivem um grande amor.

UM GRANDE AMOR

Um problema que os gays têm é a paternidade, sonho de todos os homens.

Nas mulheres esta vontade é mais intensa ainda. Tanto é que quase todas as lésbicas têm afilhados ou batizam uma ou mais crianças.

Os afilhados de uma cantora afinadíssima, também compositora e percussionista, são lindos como as músicas do Vinícius de Moraes que ela gravou.

Em geral, padrinhos e madrinhas, com os sentimentos paternal e maternal, gostariam de criar os afilhados ou afilhadas.

Dois homossexuais assumiram a relação, pensaram logo em adotar uma criança e, sem complexos, visitavam diversas creches e se inteiravam sobre os processos de adoção. Saíam desolados com as informações das exigências impedidoras.

Para desanuviar, iam a cinemas, teatros, vernissages... Sempre com discrição. Prioritariamente, compareciam a espetáculos musicais, devido aos seus ofícios.

Um deles já foi casado, oficialmente, com uma bela mulher e o outro, amasiado com uma também linda.

Ambos se sentem felizes com os desenlaces e curtem a vida de solteiros, ou melhor, de separados, pois não houve divórcios.

O amor entre eles é verdadeiro, com declarações recíprocas. O mais apaixonado declarou com todas as letras: "eu te amo! Sou capaz de te amar e ser fiel a ti como uma esposa venerável" e o outro, mais econômico nas expressões, o chamava de "meu amorzinho".

Certa vez, foram a um presídio visitar o Major Amiltom Jorge, um amigo comum, e, no regresso, por acaso encontraram-se com as antigas companheiras. Também conhecidas do recluso, perguntaram sobre o estado de ânimo do Amiltom.

A resposta foi positiva. Pensavam em encontrá-lo depressivo e foram recebidos com um largo sorriso. Ao dar mais informações, disseram que ele estava numa boa prisão especial. O contraventor ocupava uma dependência, na verdade um quarto com aparelho de televisão aberta, cama confortável, lençol, cobertor... Banheiro particular, lugar para se exercitar e tomar sol. Só não tem telefone. Pode ser visitado por duas pessoas diariamente, e a sua namorada, uma vez por semana, ia fazer-lhe visita íntima em horário noturno.

Muita gente que está em liberdade gostaria de estar preso como o Major Amiltom, pois as habitações da maioria dos cidadãos do país são menos confortáveis.

Contrariamente aos cárceres especiais, há presídios desumanos, com selas superlotadas de criminosos de alta periculosidade misturados a presos por pequenos furtos e outras pequenas infrações, estes chamados de "marinheiros de primeira viagem".

O Major foi preso por ordem de uma juíza, mas não deverá permanecer detido por muito tempo. Todos sabem que contravenção é a principal atividade dele, mas não há provas e um advogado já entrou com um pedido de *habeas corpus* em liminar, circunstanciando o argumento de que ele é um empresário, o que tem um fundo de verdade. Possui uma fábrica de instrumentos de percussão e uma empresa de empreendimentos imobiliários.

Pessoa muito querida, o oficial do exército na reserva é patrono de uma escola de samba e mantém um serviço social na comunidade da agremiação carnavalesca. Sempre que há problemas, normalmente ocasionados por intempéries, ele socorre. Por ocasião da virose gripal, manda cestas básicas alimentares para a Associação de Moradores e, nos dias de Natal, manda presentes para serem distribuídos aos filhos dos associados.

O encontro com suas ex-esposas, no retorno da visita ao major, ocorreu no restaurante que frequentavam. Na mesa de cantinho, preferida deles, deram de cara com elas. Ameaçaram recuar, mas desistiram ao notar que haviam sido vistos. Achegaram-se.

— Oh! Que satisfação encontrar vocês!

As duas, quase ao mesmo tempo:

— O prazer é todo nosso. Sentem-se conosco.

É o primeiro encontro depois da transformação dos casais.

O desenlace de um dos casais não foi consensual e, de início, eles não ficaram muito à vontade frente a frente.

Aparentando tranquilidade, conversaram sobre vários assuntos até abordarem a situação delas, declaradamente apaixonadas. Eles também proclamaram que vivem um grande amor. Ficaram sérios quando tocaram na questão das possíveis reações das suas famílias.

— Meu pai apoiaria. É completamente sem preconceitos, liberal, culto, gosta de temas modernos e, na sua playlist de músicas preferidas, está incluída *Cordas e Correntes*:

Viu, mamãe! Por que não posso assumir meu descaminho?

Viu, papai! Por que não posso reencontrar o meu caminho?

Pra que as cordas e correntes se eu já sei onde tenho meu nariz

Tantos amigos e parentes, e eu assim tão infeliz

Vocês só pensam em noivado, casamento...

Que tormento! Vivem sonhando com aliança no meu dedo.

Tenho medo. Bem lá dentro do meu ser,

Há uma vontade muito grande de viver. Viu, papai?

— O meu problema será minha mãe. Protestante fundamentalista, será capaz de mandar me matar se souber que eu estou vivendo um grande amor com uma mulher. Falou sorridente e contou que, certa vez, a mãe contratou uns bandidos para invadir o centro de Umbanda que ela frequentava e quebrar tudo. Ainda bem que a reação dos umbandistas foi se juntar no meio dos destroços e invocar os Orixás, cantando:

O sino da Igrejinha faz belém blem blam. Deu meia-noite, o galo já cantou. Seu Tranca Rua que é dono da gira, oi corre gira, que Ogum mandou. Tem pena dele, Benedito, tenha dó. Ele é filho de Zambi, ó São Benedito, tenha dó. Tem pena dele, Nanã, tenha dó. Ele é filho de Zambi, ô Nanã, tenha dó. Tem pena dele, ó Zambi, tenha dó. Ele é filho de Zambi, ó Zambi, tenha dó. Foi numa tarde serena, que nas matas da Jurema eu vi o caboclo bradar: Quiô! Quiô, quiô, quiô, quiera! Sua mata está em festa, saravá Seu Sete Flechas, que ele é rei da floresta. Quiô! Quiô, quiô, quiô, quiera! Sua mata está em festa. Saravá Seu Mata Virgem, que ele é rei da floresta. Quiô! Quiô, quiô, quiô, quiera. Sua mata está em festa, saravá Seu Cachoeira, que ele é rei da floresta. Vestimenta de caboclo é samambaia. É samambaia, é samambaia. Saia caboclo! Não me atrapalha, saia do meio da samambaia.

Algumas pessoas que já haviam sido atendidas lá se achegaram, cotizaram-se, fizeram doações e o templo, reconstruído, ficou mais lindo do que antes.

— Eu sou órfão de pai. Planejo encarar minha mãe e meu padrasto. Creio que nos receberão bem, mas falta a coragem de apresentar minha *marida*.

Um deles disse sorrindo:

— Nós estamos livres de problemas, não é, amor?

— Nenhum, querido! Meus pais se divorciaram e foram viver no exterior.

O encontro, inicialmente tenso, descontraiu-se. As mulheres revelaram seus sonhos, dentre outros, o de ter filhos e iam fazer inseminações *in vitro*, lamentando ser impossível saber quem seriam os pais.

— Nós não podemos fazer isso, vamos adotar ou filiar, de preferência uma criança abandonada, para não conhecer os pais.

Um deles explicou que "filiação" é quando se pega bebê ainda sem registro e dá o nome e o sobrenome. "Adoção" é pegar uma criança já com certidão de nascimento.

Checados e confirmados os números dos telefones, voltaram a se comunicar e se encontrar, como no início desta novela.

Em um dos encontros, eles voltaram ao assunto do desejo de ter filhos.

— Também queremos muito, como vocês sabem, mas para nós, adotar é quase impossível aqui no Brasil. Só se formos morar em outo país, talvez na Holanda, e trocarmos de cidadania, mas por lá não há crianças a serem adotadas, Kkkk.

— Eureca! Tive uma ideia. Eu faço uma doação de sêmen para você e ele, para ela.

Quando as crianças nascerem, nos fins de semana, vocês podem deixar os petizes conosco, como fazem os casais separados.

As companheiras se olharam, pediram licença para ir ao toalete, confabularam e decidiram aceitar a proposta.

Primeiro, foi a mais jovem que sentiu a barriguinha crescer. A companheira cuidou dela com carinho. Nasceu um menino bonito e saudável. Só então a mais velha fez a fertilização, também com sucesso, e teve uma linda e sadia menina.

Os fertilizados, vivendo em feliz regime de união estável, vibraram radiantes com os rebentos. São pais legítimos. Iam, com frequência, visitar as crianças, na fase mamária.

As mães cumpriram o combinado. Logo que os bebês

foram desmamados, os levavam e deixavam com os genitores e, assim, felizes, muito felizes mesmo e realizados, os pares homoafetivos convivem, alternadamente, com os seus legítimos filhos, no sistema de guarda compartilhada, sem intervenção jurídica.

FIM

AGRADECIMENTO

À filha Juliana, que escreveu o prefácio;

Às amadas Cléo e nossa filha Alegria, autoras das orelhas;

Aos editores e a todos os funcionários da Editora Patuá, especialmente a seu editor, Eduardo Lacerda;

Ao sobrinho Fernando Rosa, meu privilegiado leitor, pela primeira revisão e pelos palpites felizes;

Ao Tom Farias, pelo texto de contracapa.

foto: Leo Aversa

Martinho José Ferreira nasceu em Duas Barras, Rio de Janeiro, em 12 de fevereiro de 1938. Filho de Tereza de Jesus e Josué Ferreira, um casal de lavradores. Trazido para o Rio de Janeiro, com apenas quatro anos e criado na Serra dos Pretos Forros, participou da fundação da Escola de Samba Aprendizes da Boca do Mato, fez vários sambas de enredo, tornou-se conhecido como cantor e compositor, voltou à sua cidade natal e foi saudado pela banda de música da cidade. Levado à Igreja de Nossa Senhora da Conceição, onde foi batizado, ao cartório onde foi registrado e à casa em que nasceu, na Fazenda Cedro Grande, que estava à venda, a comprou e doou para instalação do ICMV, Instituto Cultural Martinho da Vila.

Sua primeira profissão foi a de Auxiliar de Químico Industrial, com diploma adquirido em curso intensivo do SENAI (Serviço Nacional de Aprendizagem Industrial). Arrimo de pai falecido, alistou-se no Exército como voluntário no Segundo Batalhão de Carros de Combate, destinado ao LQFE (Laboratório Químico e Farmacêutico do Exército), onde pretendia ser funcionário público, mas decidiu-se pela carreira militar. Foi cabo, sargento e cursou a Escola de Instrução Especializada, onde se formou em escrevente-contador. Exerceu funções burocráticas na DGEC (Diretoria Geral de Engenharia e Comunicações) e pediu baixa do Exército para se tornar cantor profissional, carreira iniciada no III Festival de MPB de São Paulo, em 1967, quando apresentou o partido-alto Menina Moça e, no ano seguinte, na quarta edição do mesmo festival, lançou o clássico Casa de Bamba, seu primeiro sucesso. Na sequência, gravou o LP intitulado *Martinho da Vila*, que atingiu o primeiro lugar nas paradas musicais do Brasil, de Norte a Sul, com o clássico *O Pequeno Burguês*.

Em 1995, com o álbum *Tá delícia Tá Gostoso*, ultrapassou a marca de um milhão de cópias em tempo recorde.

Compositor de vários clássicos da MPB, compôs diversos sambas de enredo para desfiles da E. S. Unidos de Vila Isabel, da qual é Presidente de Honra, e no próximo carnaval, será a figura central do enredo *Canta, Canta Minha Gente - A Vila é de Martinho*.

Conhecido como sambista, é um legítimo representante da MPB, com várias composições gravadas por cantores e cantoras de diversas vertentes musicais do Brasil e intérpretes consagrados do exterior, tais como Nana Mouskouri (Grécia), Ornella Vanoni (Itália), Kátia Guerreiro (Portugal), Rosário Flores e Julio Iglesias (Espanha) e de outras nacionalidades. No seu álbum *Conecções*, com músicas em português e francês, o destaque é *La Boheme* e em dueto com Madeleine Peyroux, interpretou sua composição *Madalena do Jucu*, em inglês *Madeleine I Love You*.

Ativista cultural, foi responsável pelo projeto O Canto Livre de Angola que, em 1982, trouxe os primeiros artistas africanos ao Brasil e liderou também o Grupo Kizomba, promotor de "Encontros Internacionais de Artes Negra", com participação de diversos países. Destacaram-se o Balé Folclórico da África do Sul e o grupo de gospel Ebony Economical Ensamble, dos Estados Unidos.

Embora seja músico, cantor e compositor indutivo, tem uma vasta cultura musical, com grande ligação com a música erudita. Participou do projeto sinfônico Clássicos do Samba sob a regência do saudoso Maestro Sílvio Barbato, apresentou-se com diversas orquestras sinfônicas, bem como com a Campesina de Friburgo, conceituada banda sinfônica e com a Orfeônica da Dinamarca. Idealizou, em parceria com o Maestro Leonardo Bruno, o Concerto Negro, espetáculo sinfônico que enfoca a participação do negro na música erudita.

Criou vários enredos para desfiles da Unidos de Vila Isabel, dentre os quais *Kizomba - Festa da Raça*, que está entre os mais memoráveis da história dos carnavais e garantiu para a Vila, em 1988, seu consagrado título de Campeã do Centenário da Abolição da Escravatura. No mesmo ano, criou a mensagem anual da TV Globo, com centenas de negros cantando o jongo de sua autoria *Axé Pra Todo Mundo, Axé*.

Nomeado Embaixador da Boa Vontade da CPLP (Comunidade de Países de Língua Portuguesa), por divulgar a lusofonia e intitulado Embaixador Cultural Honorário de Angola, com 75 anos submeteu-se a um exame vestibular na Universidade Estácio de Sá, cursou Relações Internacionais, presencialmente e, pela UFRJ, Universidade Federal do Rio de Janeiro, foi honrado com o título de Doutor Honoris Causa.

Considerado por muitos críticos como um dos melhores cantores do Brasil, por interpretar músicas dos mais variados ritmos, é ganhador de três Grammy, outorgados pelo colegiado da conceituada organização musical, e em novembro de 2021, foi um dos 7 artistas internacionais a serem homenageados pelo conjunto da obra.

Recebeu um incomensurável número de títulos, medalhas e comendas, dentre os quais a Medalha Tiradentes e a Comenda JK. Agraciado com a Ordem do Mérito

Cultural do Ministério da Cultura, é Comendador da República da Ordem do Barão do Rio Branco, em grau de Oficial.

Escritor de diversificados livros: Infantis, infantojuvenis, biografias, romances, crônicas... Foi colunista semanal do Jornal O Dia durante dois anos e publicou artigos nos principais jornais e revistas do Brasil. É membro da Academia Carioca de Letras, do PEN CLUB e da Divine Académie Française des Arts, Letres e Culture.

Esta obra foi composta em G Pro
em abril de 2022 para a Editora Patuá.